JN106504

The Success Principles That Can Improve Your Life

Your level of belief in yourself
and in your vision will greatly determine
where you'll end up in life.

Thibaut Meurisse

理想の自分をつくる100の法則

ティボ・ムリス 著　弓場 隆 訳

読者の皆様へ

きっとあなたは
公私にわたって成功を収めたいと
思っていることでしょう。
しかし、人生が思いどおりにいかず、
どうすればいいか
悩んでいるかもしれません。

この本は次の3種類の人たちのために
書かれています。

- より多くのことを成し遂げるすべを学びたい人
- 大きな夢や目標を実現する方法を知りたい人
- なれる最高の自分になって社会に貢献したい人

以上の項目のどれかに
あてはまるなら、
ぜひこの本を読んでください。
お役に立てることを願っています。

ティボ・ムリス

目次

PART 1
自分の人生に責任を持つ

PART 2

自分を知る

PART 3 どんな人物になりたいかを決める

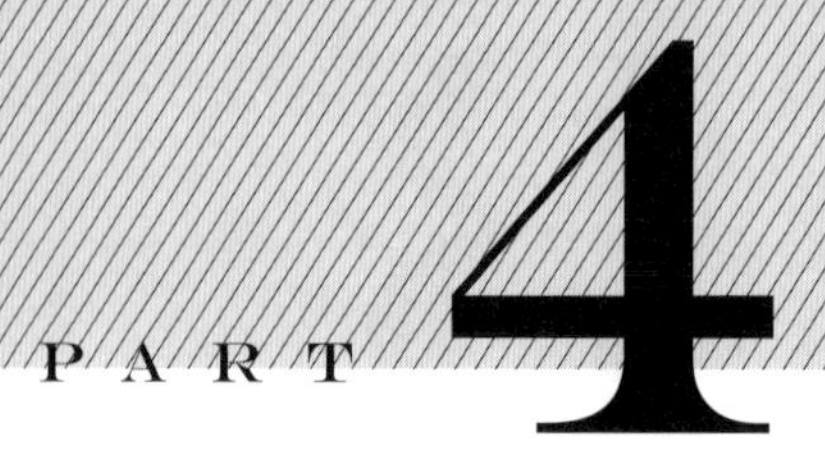

PART 4 誠実な生き方をする

PART 5

自信をはぐくむ

PART 6 現実を正確に把握する

PART 7 物事をやり遂げる

PART 8

常に心を開く

PART 9

立ち直る力を身につける

PART 10 人びとに勇気と希望を与える

はじめに

何らかの法則を応用すれば、人生のどの分野でも目標を達成して成功を収める可能性が飛躍的に高まるとしたら、どんなに素晴らしいことだろうか。その法則を日々の習慣として実践すれば、やがて精神的、肉体的、経済的に今までよりずっと高いレベルに達することができると想像してみよう。その可能性にワクワクするのではないだろうか。

多くの人は「成功するには運が必要だ」と思い込んでいる。つまり、いつか運よく突破口を開いて成功を収めたいと願っているのだ。

しかし、そのような期待を抱くことには重大な問題がある。何もせずに運よく突破口が開ける日は、おそらく永遠に来ないからだ。

現実を直視しよう。目標を達成して成功を収めるために運に頼る必要はない。偶然の幸運に恵まれて一夜にして成功するという展開は、たいがい夢物語だ。99・99パーセントの人にとって、そんなことはけっして起こらない。それはきわめて非現実的な期待だ。したがって、そういうごくわずかな可能性に賭けるのは得策ではない。言い換えると、運に頼るのは正しい戦略ではないということだ。

もちろん、成功するうえで運が一定の役割を果たすことは間違いない。しかし、この本の中でくわしく説明するとおり、**成功とはひとつの幸運な出来事のおかげで手に入るものではなく、たゆまぬ努力の賜物なのだ。**つまり、いわゆる「幸運」というのは、たいてい長期にわたって物事に辛抱強く取り組んだ結果である。

人生のどの分野でも成功を収める可能性を飛躍的に高める法則が存在する。この本では、それを100の習慣にまとめた。運に頼るよりもはるかに効果的な戦略を発見し、それを日常生活に応用しよう。

この成功法則のおかげで、すでに大勢の人が物心両面にわたって恩恵を得ている。きっとあなたも人生のすべての分野で大きな成果を上げることができるだろう。

人生がうまくいかないとき、
他人のせいにしたり自分を
哀れんだりすることもできるが、
元気を出して
「よし、自分の人生に責任を持って道を切り開こう」
と言うこともできる。

ハワード・シュルツ
（アメリカの実業家、スターバックスの創業者）

PART 1

自分の人生に責任を持つ

究極的に、あなたは自分の人生に
責任を持たなければならない。
自分の人生を他人に任せることはできない。
人生を変えるためには、
あなた自身が変わる必要がある。
PART1では、自分の人生をコントロールして
運命の創造者になるための
基本原理を紹介しよう。

001

自分の人生に責任を持つ

自分の不幸を社会や他人のせいにして生涯を送ることもできるが、自分の人生の責任はすべてあなた自身にある。

パウロ・コエーリョ（ブラジルの小説家）

あなたは自分の人生に責任を持っているか、自分が置かれている状況を社会や他人のせいにしているか、どちらだろうか。

目標を達成して成功を収めるカギは、自分の人生に責任を持つことだ。これは人生を変えるための最強の方法である。あなたは自分のすべての行動に責任を持ち、自分が置かれている状況を受け入れなければならない。

なぜ自分の人生に責任を持つことがそんなに大切なのか。それを簡単に説明しよう。

多くの人は自分のふがいない現状について、社会や他人のせいにしたり、「運が悪い」と不平を言ったりしがちだ。たしかに外的要因によって好ましくない出来事や状況が引き起こされることはよくある。「裏切られた」「それは自分のせいではない」と感じることもあるだろう。

しかし、人生がうまくいかないからといって、それを社会や他人のせいにしたり、「運が悪い」と不平を言ったりしても、状況はまったく改善しない。誰が間違っているかを追及して「犯人捜し」をしたところで何の意味もないのだ。

あなたがすべきことは、**自分の置かれている状況を改善するにはどうすればいいかを考える**ことだ。そうやって自分の人生に責任を持つことによって、夢や目標を実現する可能性を最大化することができる。

提案
人生に責任を持つために必要なことを3つ書いてみよう。

002

結果に対して責任を持つ

結果に対して責任を持つことは、一人前の人間になるための絶対条件である。

ウィンストン・チャーチル（イギリスの政治家）

結果に対して責任を持つというのは、本来の責任よりもさらに多くのことに責任を持つということだ。

たとえば、何らかの課題を他人に任せて、それが適切に処理されなかった場合、その人の怠慢や無能を責めたくなるかもしれない。しかし、「自分はこの状況に対してどんな責任があるか？」と考えてみよう。ふさわしくない人を選んだ、適切な指示をしなかった、進捗状況を把握していなかった、といったことも反省する必要がある。つまり、相手のミスのように見えても、あなたは結果に対して責任を持たなければならないのだ。

実際、問題の根本原因を探ってみると、自分がもう少し気をつけていたら避けられた可能性があることが多い。たとえば、もっと入念に計画を立てるべきだったとか、経験者にアドバイスを求めるべきだった、といったようなことだ。

そこで次のエクササイズをやってみよう。**悩んでいる問題について、時間をさかのぼって根本原因を探り、その発生を防ぐために何ができたかを冷静に考える**のだ。

このエクササイズをすると、自分が結果に対してどんな責任を負っているかが見えてくる。**結果に対して責任を持つことで得られる恩恵のひとつは、問題を予測するのがうまくなることだ。**「自分はこの状況に対してどんな責任があるか？」とたえず考える習慣を身につけると、適切な考え方と行動パターンが見つかり、同様の状況が発生するのを避けることができる。

結果に対して責任を持つようになると、長い目で見て人生を大きく改善することができる。**自分が変わらないかぎり、人生はまったく変わらない**ことを覚えておこう。つまり、人生を変えたいなら、まず自分が変わらなければならないということだ。

提案――抱えている問題の根本原因を探り、どうすれば避けられたかを考えてみよう。

003

自分の道を切り開く

誰かのものまねをするより、いつも最高の自分でありたい。

ジュディ・ガーランド（アメリカの女優）

人生にはふたつの選択肢がある。

1　自分の道を切り開き、個性を表現する
2　受け入れてもらうために、他人のまねをし、本当の自分ではない人物を演じる

人びとは専門家に生き方を指南してもらうのが好きだ。もちろん、それもときには必要だが、究極的にあなたが自分らしく生きるための答えを提示することは誰にもできない。

当然、専門家があなたに代わってあなたの人生を生きることはできない。あなたの食べ物を食べ、あなたの身体をいたわり、あなたのように考えることができる人は、あなた以外にいない。誰もあなたの代わりに決定をくだすことはできないのだ。

したがって、**自分が望んでいる成功を収めるためには、自分の頭で考えなければならないのだ。**自分の価値観と相容れない考え方は排除する必要がある。他人が押しつける価値観ではなく、自分の価値観に即した振る舞いをする勇気を持つべきだ。

あなたは他の人たちがしているという理由で同じようにすることがよくあるだろうか。自分に正直になるなら、何をして、何をやめるべきだろうか。

一般に、人びとは自分に正直に生きている人を尊敬する。おそらくその理由は、もし自分らしく生きる決意をすれば、どんな人物になることができるかを教わっているような気がするからだろう。

あなたにとって、自分の道とはどのようなものだろうか。幸せな成功者になるために何をすべきだろうか。

提案

自分の道を切り開くために何をすべきか考えてみよう。

004

行動を起こす

成功は行動力と密接な関係がある。成功者は常に前進を続け、たとえミスをしても、けっしてあきらめない。

コンラッド・ヒルトン（アメリカの実業家、ヒルトンホテルの創業者）

あなたはより多くのものを手に入れたいと思っているに違いない。具体的に言うと、より多くのお金を稼ぎ、よりよい人間関係を築き、公私にわたって成功を収めたいと思っていることだろう。

もちろん、そういう願望を抱くことはなんら間違っていない。それはむしろ正常なことである。

しかし、現実を直視しよう。今、どんな不満を抱いていようと、その現実はあなた自身がつくり出したものだ。

大切なのは、過去を変えることはできないが、**行動を起こせば未来を切り開くことができる**ということだ。

成功はプロセスであることを覚えておこう。そのプロセスは、実行すると目標に近づく多くの習慣から成り立っていて、今ここから始めることができる。実際、あなたにできるのはそれしかない。

崇高な目標を達成するためには、常に全力を尽くす必要がある。現状がどうであれ、今日から始めよう。

提案——崇高な目標に向かってワクワクしながら前進しよう。

005

時間を有効に活用する

時間が足りないのではない。われわれが時間を浪費しているのだ。

セネカ（古代ローマの哲学者）

あなたの1時間はどれくらいの価値があるだろうか。

時間はこの世で最も希少な資源のひとつである。だからあなたの責務は、時間を有効に活用することだ。時間を有効に活用することを覚えると、生産性を飛躍的に高め、資産を増やし、大好きなことをする時間を確保することができる。

成功者とそれ以外の人たちの主な違いは、時間をどれだけ大切にしているかどうかである。成功者は時間を有効に活用するために最大限の努力を傾ける。

具体例を紹介しよう。

・明確な目標を設定して優先順位を決める
・たえず切迫感を持ってテキパキと行動する
・自分の価値観に合わないことをきっぱりと断る

一方、成功しない人たちは時間が無限にあるかのように勘違いし、漫然と日々の生活を送っている。その結果、重要課題を先延ばしにし、非生産的な活動に時間を浪費し、テレビの前に張りついて娯楽番組を延々と見る。彼らは「今すぐ重要課題に取り組まなくても、明日になってからすればいい」と考えている。

毎日、時間を有効に活用して有意義な人生を送るか、無価値なことに時間を浪費するかを選ぶ必要がある。いったん失った時間は戻ってこない。だから今日から時間を有効に活用しよう。そうしないなら、きっと明日も時間を浪費することになる。

提案——時間を有効に活用するための具体的な方策を考えてみよう。

006

運に頼らない

地道な努力を重ねていれば、予期しないときにいいことが起こる。何もせずにじっとしていて幸運をつかんだ人がいたためしがない。

チャールズ・ケタリング（アメリカの発明家）

あなたは、何もしなくても幸運に恵まれて成功することを期待していないだろうか。

実際、多くの人が、成功は偶然の幸運に恵まれた結果として起こる単発的な出来事だと思っている。

しかし、**成功は一連のプロセスであり、長期にわたるたゆまぬ努力の結果なのだ。**たしかに幸運に恵まれれば、より早く目標を達成することができるが、長い目で見ると運はほとんど関係ない。

予想以上に時間がかかるかもしれないが、困難や障害に屈せずに頑張り、正しい方法で努力を重ねれば、やがて目標を達成することができる。大切なのは、**挫折や失敗から常に教訓を学び続ける**ことだ。

なぜ運に頼ることがそんなに大きな問題なのか。運に頼るかぎり、偶然に依存することになり、そのために能力を存分に発揮できず、夢や目標を実現する可能性をかなり低くしてしまうからである。

要するに、**運に頼ることは主体性と対極をなす**ということだ。

運に頼るか、自分の人生に責任を持ち、望んでいるものを手に入れるために全力を尽くすか、どちらかである。

もちろん、運は強い味方になるが、成否を分ける決定的な要因にはならない。究極的に、成功のプロセスを最適化し、粘り強く取り組むかどうかが成否を分ける。

だから運に頼ってはいけない。長期的な成功を手に入れるためには、明確な目標を設定し、日々の習慣を確立し、最後までやり抜くことが大切だ。

提案——目標を達成する可能性を最大化する方法について考え、その答えを紙に書こう。

007

恐怖に立ち向かう

今から20年後、あなたは「したこと」よりも「しなかったこと」を後悔するだろう。だから今、行動を起こそう。したことがないことに挑戦し、新しい発見をしよう。

マーク・トウェイン（アメリカの作家）

あなたはすべきだと心の中でわかっていることから逃げていないだろうか。恐怖に立ち向かって崇高な目標を追い求めるより、安全策をとるほうがはるかにたやすい。しかし、いつまでそんなふうに恐怖から逃げ続けるつもりだろうか。

たいていの場合、**自分が最も恐れていることは、自分がすべきことだ**という事実を理解しよう。それは進むべき方向を教えてくれている。しかも、それは成長し、より大きな人物になるように促してくれる。

恐怖に立ち向かうたびに新しい可能性を開拓することができる。**いったん恐怖に立ち向かって野心を燃やせば、できることは無限大だ。**

ほとんどの人は、長い目で見て自分にできることを過小評価している。勇気をふるって行動を起こしたなら、自分がどんなに多くのことを成し遂げられるかがよくわかっていないからだ。

もし夢の方向に第一歩を踏み出したら、自分が10年後に何を成し遂げられるか想像してみよう。

とはいえ、現時点では、自分のビジョンが今後どのように展開するかをくわしく知る必要はない。勇気を出して正しい方向に第一歩を踏み出すだけで十分だ。やがて、しなければならないことがはっきり見えてくる。そのときにビジョンを研ぎ澄まし、さらにすべきことをすればいいのだ。

あなたは人生で何をすべきだと感じているだろうか。直感は何を教えてくれているだろうか。正しい方向に進むために、どんな恐怖に立ち向かう必要があるだろうか。

提案

すべきだと思っていることを紙に書き、勇気を出して第一歩を踏み出そう。

008

自分と他人を許す

他人を批判し、叱責し、不平を言うのは、どんな愚か者でもできる。実際、大勢の愚か者がそれをする。だが、他人を理解し許すためには、自分を律して人格を磨く必要がある。

デール・カーネギー（アメリカの著述家、講演家）

あなたは過去の間違いについて、いつまでも自分を責めていないだろうか。ずっと前にされたことのために、いつまでも他人を恨んでいないだろうか。

過去の重荷を引きずっているかぎり、前進することはできない。過去はすでに終わったのだ。それはもう存在しない。存在しているのは、その記憶だけである。あなたがたびたび心の中で自分に言い聞かせているストーリーは、自分を過去という名の牢獄の囚人にしている。

幸い、ネガティブなストーリーをいつまでも自分に言い聞かせなければならないという決まりはない。**あなたは人生の軌道を変える決定をいつでもくだす能力を持っている。**つまり、今までとは違うポジティブなストーリーを自分に言い聞かせれば、次第に人生を変えることができるのだ。

まず、**過去の間違いについて自分を許そう。**おそらくあなたはその時点で最善のことをしたはずだ。過去を解き放ち、よりよい未来を設計するために今できることに意識を向けよう。

次に、**他人を許そう。**それは「いい人」になるためではなく、心の平和を得るためである。他人があなたに対してしたことは、あなたの問題というよりその人の問題なのだ。**過去の重荷を捨てて、未来を切り開くための教訓にしよう。**「他人に恨みを抱くことは、自分が毒を飲んで相手が死ぬのを期待するようなものだ」という格言のとおりだ。他人を恨んでも何の役にも立たない。そんなことをしても何も変わらないのだ。

提案

自分や他人を責めるのをやめ、心の平和を得よう。

人生で最も難しいのは
自分を知ることである。

タレス
（古代ギリシャの哲学者）

PART 2 自分を知る

自分をよく知らなければ、
自分が理想とする人生を設計することはできない。
多くの人は自分の目標ではないものを
追い求めて何年も費やす。
他の人たちに言われたことに基づいて
人生を送り、人生の終わりになって、
ずっと自分にウソをついていたことに気づく。
PART2では、自分が誰なのか、
本当に手に入れたいものは何かを
見きわめる基本原理について説明しよう。
自分について気づけば気づくほど、
自分にぴったり合った人生を設計し、
より大きな充実感を得ることができる。

009

自分の直感に耳を傾ける

直感はささやくだけで、大声で呼びかけない。だから、ささやきを聞く準備をしておく必要がある。そして、その内容を実行すれば、多くの人があなたの仕事の恩恵を受ける。

スティーブン・スピルバーグ（アメリカの映画監督）

あなたは自分の直感にたえず耳を傾けているか、いつもそれを無視しているか、どちらだろうか。

自分の願望やビジョンを抑圧してまで、自分らしさとほど遠い生き方をしたい人はいないはずだ。

とはいえ、自分の直感に耳を傾けるのは意外と難しいかもしれない。あなたの選択は周囲の人の影響をかなり受けているからだ。親から職業の選択について指示され、友人たちからはライフスタイルについてアドバイスされただろう。職場の同僚からは現状で満足するように言われたに違いない。

では、自分の直感に耳を傾け、正しいと感じることをするにはどうすればいいか。

1　**ときおり一人で過ごして生き方を見直す。**「自分は何をしたいのか？」「人生をやり直せるなら何をするか？」「周囲の人の期待にこたえなくていいなら、何をするか？」「見栄や外聞を気にしなくていいなら、何をやってみたいか？」と自分に問いかけよう。

2　**自分の直感に基づいて行動する。**たとえば、「ある仕事を引き受けたくない」「ある人との関係を続けたくない」「ある場所に引っ越したくない」と感じているなら、その気持ちを大切にしよう。

3　**自分のビジョンを追求する。**心の中で設定している限界に気づいたら、それを取り払い、夢や目標を現実にできると確信して行動しよう。

提案

自分の直感に耳を傾けるためにできることを実行してみよう。

010

自分をよく知る

自分を知ることは、すべての知恵の始まりである。

アリストテレス（古代ギリシャの哲学者）

自分をよく知るためには、常に自分と向き合って内面を見つめる必要がある。それは成長のための起爆剤になる。なぜなら、**自分をよく知れば知るほど、なれる最高の自分になるために向上する機会が得られる**からだ。

一般に、成功者は自分をよく知っている。自分とは誰か、自分が手に入れたいものは何かを見きわめるためにたえず努めているからだ。

しかし、ほとんどの人はさまざまな先入観の影響を受けているので、自分を客観的に見ることがなかなかできない。おそらく、あなたの考え方はたいてい不正確だろう。だから自分をよく知る必要があるのだ。
では、自分をよく知るとはどういうことか説明しよう。

・自分の強みと弱みを知る
・自分にとって大切なこととそうでないことを知る
・自分の感情を抑圧せずに認める
・自分の意欲をなくすような考え方を見きわめる
・自分の盲点と先入観を知る

そこで、次のふたつの質問を自分に投げかけよう。

・自分をよく知れば、自分の人生にどんな影響を与えるか？
・自分がよく経験するネガティブな感情は何で、その原因は何か？

提案―勇気を出して自分を客観的に見つめる訓練をしよう。

011

自分にとって大切なものを知る

常にポジティブな価値観を持とう。価値観はやがて自分の運命になるのだから。

マハトマ・ガンジー（インドの政治指導者）

あなたは自分にとって最も大切なものは何かを知っているだろうか。もし知っているなら、その価値観にしたがって生きているだろうか。

あなたはふだんの生活の中でたえず決定をくださなければならない。常に健全な決定をくだす能力は、人生の方向性に大きな影響をおよぼす。では、意思決定のプロセスを簡略化し、人生を改善する決定をくだすにはどうすればいいだろうか。

まず、**決定をくだす際の明確な基準を設定する必要がある。**そのときに役立つのが価値観だ。価値観は意思決定のための効果的なフレームワークとして機能する。価値観が明確になれば、不適切な選択肢を排除し、よりよい意思決定をより迅速にすることができる。

要するに、**価値観が明確なら、自分の人生を改善するために時間と労力を費やすことができる**ということだ。だから充実した人生を送るためには、自分の価値観を見きわめることが大切である。しかし、価値観があいまいなら、周囲の環境に影響されて間違った決定をくだすおそれがある。したがって、人生の主導権を取り戻すためには、自分の価値観を明確にしなければならない。そのためのふたつの条件を指摘しよう。

1　**自分が正しいと信じる価値観でなければならない。**仕事、家族、生き方、考え方について、親や社会に押しつけられたものではなく、自分が正しいと信じる価値観を身につけて、それを実践する必要がある。

2　**具体的な価値観でなければならない。**たとえば、単に自由を大切にしているというのではなく、自由の意味を具体的に表現しよう。自由業につくという意味か、借金がないという意味か、少しのモノだけを持って暮らすという意味か。

提案　自分が正しいと信じる価値観を選び、それを推進する生き方をしよう。

012

自分が手に入れたいものをよく知る

自分が手に入れたいものを見きわめよう。それを明確にすると力が得られる。あいまいな目標はあいまいな結果しかもたらさない。

ロビン・シャーマ（アメリカのライフコーチ）

あなたのエネルギーは有限である。しかも、周囲の人はその有限のエネルギーの一部を割いてほしいとたえず要求してくる。もし自分が手に入れたいものをよく知らないなら、他人にこき使われて生涯を終えるおそれがある。それを避けるには自分のエネルギーを最大限に有効利用しなければならない。

そのキーワードは「焦点」と「明確さ」である。

エネルギーは特定の対象に焦点をあてたときに初めて大きな力を発揮する。たとえば、太陽光線を虫めがねで集めて紙の上に焦点をあてると発火する。**いったん手に入れたいものがわかれば、自分のすべてのエネルギーをその対象に向けることができる。**エネルギーを分散させるのではなく効果的に使うことができる。特定の目標に焦点をあてると、長い目で見ると大きな成果が上がる。

自分が手に入れたいものをよく知ることによって、目標を達成するための明確な計画を立てることができる。

明確さは力である。成功者は自分が手に入れたいものをよく知っている。彼らに「何に取り組んでいるのか？」と尋ねれば、自分の目標についてくわしく説明するだけでなく、それを達成するための具体的な方法についても話してくれるだろう。

あなたは自分の目標について詳細に説明し、それを達成する方法について話すことができるだろうか。もしできないなら、自分が手に入れたいものをわかりやすく紙に書いてみよう。明確であればあるほどいい。

提案

仕事、家庭、お金、健康、人間関係、趣味の各分野で、「本当に手に入れたいものは何か？」という問いの答えを探し求めよう。

013

自分の強みを知る

誰もが人生で成功するための才能を生まれながらにして持っている。ただし、本人がそれに気づいて全力で発掘しなければならない。

ディーン・クーンツ（アメリカの小説家）

あなたの才能は何だろうか。あなたにしかできないことは何だろうか。

持っている能力を存分に発揮して充実した人生を送るうえで、自分の強みを知ることは不可欠だ。それをしない人は、たいてい嫌いな仕事をして無力感にさいなまれながら膨大な時間を過ごし、働くことを通じて社会にほとんど貢献せずに生涯を終える。

自分の強みを知るのに役立つ方法を紹介しよう。

1　家族や友人、同僚に尋ねる
2　自分が余暇の時間に何に熱中しているかを調べる
3　他の人たちにとっては難しくても、自分ならたやすくできることを見きわめる
4　周囲の人に何をほめられたかを思い出す
5　やっていて時間がたつのを忘れるほど楽しいことを追求する

自分の強みを探しているときは、どんなことも見落としてはいけない。ささいなことのように思えても、大きな意味を持っている可能性がある。たとえば、人と接するのが好きか、一人で研究するのが好きか、イベントの運営をするのが好きか、などなど。

言うまでもなく、あなたの時間は有限である。したがって、**自分の弱みを克服しようとやっきになるより、自分の強みを最大化することを考えたほうが効率的だ。**そうしなければ、自分の強みを生かして働いている人たちと自分の不得意な分野で競争することになる（ただし、自分の弱みが足かせになっているなら、それを補強する必要はある）。

提案——**得意分野で達人のレベルになるまで自分の強みを伸ばそう。**

014

自分の弱みを歓迎する

誰かに弱みを指摘されれば、私はそれを強みに変えてみせる。

マイケル・ジョーダン（アメリカの元プロバスケットボール選手）

あなたは自分を罵倒することがよくあるだろうか。

自分には欠点がたくさんあるのだから、ふがいない自分を罵倒するのは当然だと思っているかもしれない。

成功者も同じように欠点をたくさん持っているが、彼らは自分を罵倒するのではなく、次の３つの方法のどれかで対処する。すなわち、弱みを受け入れる、弱みを強みに変える、必要なときは助けを求める、である。

簡単に説明しよう。

提案——自分の弱みを嘆くのではなく、それを打開する方法を考えよう。

1　**弱みを受け入れる。**成功者は自分の弱みのために何かができないと悩んだりはしない。彼らは自分の弱みを認め、それを受け入れる。そして、自分の強みに意識を向けて、それを磨き上げる。

2　**弱みを強みに変える。**自分の弱みを強みに変える工夫をしよう。たとえば、もしあなたが少し執念深い性格なら、その執念深さを粘り強さと解釈して活用すればいい。あるいは、もしあなたが善良な人なら、多くの人を助けるために尽くせばいい（ただし、他人の都合のいいように利用されてもいいという意味ではない）。

3　**必要なときは助けを求める。**自分で何でもしようとすると、ピンチを招きやすい。たとえば、経理が苦手なら、それが得意な人に作業を依頼しよう。あなたの苦手なことを得意とする人は世の中に必ずいる。だからその人の力を借りて、あなたは自分の得意なことに専念すればいい。

015

成功の意味を明確にする

常に向上心を持ち、自分の承認に値する人物になることが、最も目覚ましい功績だ。

デニス・ウェイトリー（アメリカの著述家、講演家、経営コンサルタント）

あなたは、自分にとって成功とはどういう意味かを明確にするために時間をとって考えたことがあるだろうか。

誰もが成功したいと思っているが、自分にとって成功とはどういう意味かをあまり明確にしていない。私たちは社会の基準に照らして何が大切かを決めて、場合によっては見当違いなものを追い求めて生涯を費やすこともある。

たとえば、組織の中で昇進したい、近所に豪邸を建てたい、世間の人に負けないために頑張るといった目標を持っている人は多いだろう。

もちろん、そういう目標はけっして間違っていないが、必ずしも幸せな人生を保証するものではない。社会的地位が高い職業を選んだために、充実感が得られない仕事を続けるはめになるかもしれないし、近所の人に負けまいと見栄を張って生きるより、同じ価値観を持っている人たちのいる地域に引っ越したほうが快適かもしれない。

成功の定義はひとつではない。成功とは何かを決めるのは、あなた自身だ。しかし、それをするためには、**他人の承認を求めるのではなく自分に正直にならなければならない**。たとえ今の仕事を辞めたり相手との関係を断ち切ったりするという困難な決定をともなっても、それは大切なことだ。

自分にとっての成功の意味を明確にしなければ、他の人たちの成功の定義に基づいて生きていくことになる可能性があるが、そういう生き方は充実感をもたらさないだろう。

成功するかどうかは、あなた自身の責任だ。そして、それは自分にとっての成功の意味を明確にすることから始まる。**もし自分が望んでいるとおりの生き方をするなら、それはどのようなもので、誰と一緒に過ごして、理想的な一日はどのようなものだろうか。**

提案

自分の成功の定義にしたがって不可欠なものを5つ書いてみよう。

目標を紙に書きとめるという単純な行為が、
その目標を実現するための第一歩だ。

リー・アイアコッカ
（アメリカの実業家、元クライスラー会長）

PART 

どんな人物になりたいかを決める

あなたは自分がどんな人物に
なりたいかを決める必要がある。
そして毎日、その人物のように振る舞い、
その人物に近づくように
努めなければならない。
PART3では、
その方法を紹介しよう。

016

目的意識を持って日々を過ごす

人間存在の神秘は、自分が何のために生きているかを見つけることにある。

フョードル・ドストエフスキー（ロシアの小説家、思想家）

あなたは一日の展開を決めて主体的に生きているだろうか。あるいは、周囲の環境に反応しながら成り行きに任せて生きているだけだろうか。

ほとんどの人は時間の大半を漫然と過ごし、たまに明確な意思を持って行動している。一日の主導権を握るのではなく、たいてい外的要因に振り回されているのが実情だ。

まず、それは朝に目覚まし時計のスヌーズボタンを押すことから始まる。この何気ない行為は、ワクワクすることに取りかかる予定がない証しである。次に、テレビや新聞、インターネットでネガティブなニュースを見て精神的ダメージを受ける。

目的意識を持つことには莫大な力が秘められている。それは望ましい結果を得るために最適な行動を選ぶことを意味する。**目的意識を持っているなら、有意義な活動をするためにエネルギーを振り向けることができるが**、目的意識を持っていないなら、たえずエネルギーを浪費してしまい、有意義なことを成し遂げることができない。

では、目的意識を持って生きるとはどういう意味か。それは、**どんな活動を何のためにするのかを明確にしながら生きる**ということだ。具体的に説明しよう。

- 朝、どういう気分で目を覚ましたいか、そして、それはなぜか。
- どういう姿勢で仕事に取り組みたいか、そしてそれはなぜか。
- 職場から帰宅して家族とどのように過ごしたいか、そしてそれはなぜか。

目的意識を持って日々を過ごせば、前向きな気分になって人生が劇的に変わる。なぜなら、生産性が大きく高まり、公私にわたって目標を達成することができるからだ。

提案
一日の最初に「今日は何を成し遂げたいか？」と自分に問いかけよう。

017

自分の基準を上げる

周囲の人の否定的な意見を聞き入れていたら、私はいまだにアルプスの山中でヨーデルを歌っていることだろう。

アーノルド・シュワルツェネッガー（オーストリア出身のアメリカの俳優、実業家、元政治家）

他の人たちと同様、あなたには選択の自由が与えられている。今のままであり続けるか、自分の基準を上げてより多くのものを期待するか、どちらでも選択できる。

人びとの違いはたいてい知能の差によるのではなく、どのレベルで生きるかという決意の差によるものだ。人生を変える決意をすると、従来と違う考え方や行動をするようになる。有害な習慣を改め、崇高な目標を設定し、より高いレベルで生きることができる。

周囲の人が信じてくれるかどうかに関係なく、**あなたは自分を徹底的に信じる決意をし**

なければならない。現時点で自分に対してどんなイメージを持っているかは重要ではない。その気になれば、よりよい存在になり、より多くのことを成し遂げることができる。あなたにできることとできないことについて、他人がどう言おうと関係ない。それはその人たちが抱いている思い込みにすぎない。

自分の基準を上げることによって、眠っている能力を呼び覚ますことができる。

では、自分の基準を上げるとはどういう意味かを説明しよう。

- 自分の価値観に基づいて新しいルールを決める
- なりたい自分になる決意をして、さらに成長する
- 向上心にあふれたポジティブな人たちと付き合う

自分により多くのものを期待し、人生がどう変わっていくかを見きわめよう。自分の基準を上げるかどうかは、あなた次第だ。

提案──自分の基準を上げるために具体的に何ができるかを考えてみよう。

018

自分を厳しく律する

勝者は成果を上げるために自分を厳しく律する。一方、敗者は自分を律することを罰則のようにみなす。これが勝者と敗者の決定的な違いだ。

ルー・ホルツ（殿堂入りを果たしたアメリカンフットボールの監督）

あなたは自分を律するのが苦手だろうか。したいときにしたいことをする自由奔放な人生をずっと送りたいと思っているだろうか。

もしそうなら、まず理解しなければならないのは、**ふだんの生活の中で自分を厳しく律しなければ、本当の意味での自由は手に入らない**ということだ。

具体的に説明しよう。

・自分を律してスキルアップに励まなければ、効率的に働くことができないために時間に追われ、余暇を活用する自由が得られなくなる。
・自分を律して健康的な生活を送らなければ、病気がちになってしまい、エネルギッシュなライフスタイルを追求する自由が得られなくなる。
・自分を律して節度のある生活を心がけなければ、人生がうまくいかなくなって抑うつ状態に陥り、夢や目標を追い求める自由が得られなくなる。
・自分を律して努力を重ねなければ、うだつの上がらない状態が続き、したいことをする自由が得られなくなる。

以上の例からもわかるように、自由を得るためには、自分を厳しく律することが不可欠だ。もしそれをしないなら、遅かれ早かれ、その代償を払うことになる。言い換えると、**自分を厳しく律することは、自由を得るための代償なのだ。**

提案
よい習慣を選んで、これからの30日間それを継続しよう。

019

必ず目標を達成すると決意する

自分の使命を発見すると、あなたは意欲にあふれ、熱烈な願望を感じることだろう。

クレメント・ストーン（アメリカの実業家、慈善家）

単に何かを成し遂げたいと思うだけで偉業を達成した人について聞いたことがあるだろうか。

もちろん、そんなことはないはずだ。

偉業を達成した人はみな、熱烈な願望を持ち、必ず目標を達成すると決意していた。**必ず目標を達成するという強い決意は、眠っている能力を呼び覚まし、凡人が大きな成果を上げる原動力になる。**

なりたい自分になるためには、どんな人物になりたいかを決め、どうやってそれを実現するかを考える必要がある。自分の将来を成り行きに任せてはいけない。

ほとんどの人は単によりよい未来を夢見るだけだ。ある日、夢がかなうことを願っているが、そのための努力を惜しんでいる。

一方、成功者は白昼夢にふけるのではなくビジョンを思い描く。彼らは目標を明確に、しかも強い意志で想像する。確信を持って思い続けることはやがて現実になりやすいことを理解し、自分がすでにそうなっているかのように振る舞う。

成功者は明確な目標を持っているが、普通の人たちは単なる夢を持っているだけだ。

あなたはどちらに該当するだろうか。必ず目標を達成するという強い決意を持てば、すべてのことが変わり始める。


提案──目標を達成するために必要なことを、全部実行すると決意しよう。

020

朝の習慣で一日をポジティブにする

朝起きて「未来はますますよくなる」と確信するなら、その日はいい一日になる。

イーロン・マスク（南アフリカ出身のアメリカの実業家、テスラＣＥＯ）

朝目覚めたときに最初にすることは何だろうか。いい一日にするために何らかの習慣を実行するか、環境に気分を左右されるか、どちらだろうか。

ほとんどの人は環境に気分を左右されがちだ。朝、アラームが鳴っても、なかなか起きないし、ようやく起きると、メディアのネガティブなニュースのためにうんざりする。

一方、**成功者は朝起きると、自分がふだん受けている恩恵に感謝し、ワクワクしながら理想の一日を思い描き、それを実現するために行動する。**日々の習慣として、朝起きたらテレビをつけるのではなく、瞑想し、祈りをささげ、感謝の気持ちを表現し、重要課題に取り組むように一日の計画を立てて目標に近づいていく。

朝の習慣が大きな力を持つ主な理由は、しばらく実践していると、朝目覚めたら自然に気分がよくなることと、朝一番に重要課題に取り組むきっかけになり、勢いがついて一日の生産性が飛躍的に高まることだ。

朝の習慣を実践するための3つのステップを紹介しよう。

1　朝の習慣を実践して何を手に入れたいかを決める。 たとえば、どんな気分になりたいか、どんな行動をとりたいかを考えよう。

2　簡単に実践できるように小さく始める。 たとえば、ほんの数分間だけ瞑想するとか、感謝している3つのことを書くといったことでもいい。

3　少なくとも30日間継続する。 30日で人生がどのように好転するか確認しよう。

朝の習慣を軽んじてはいけない。あなたにとって、朝の習慣は何だろうか。

提案

簡単な朝の習慣を決め、それを明日から30日間継続しよう。

021

すすんで締め切りを設定する

いったん締め切りを設定して計画的に取り組めば、夢は明確な目標になる。

ハーヴィー・マッケイ（アメリカの講演家、著述家）

大きな成果を上げたいなら、自分により多くのことを要求しなければならない。そして、そのためには課題に対して締め切りを設定する必要がある。

締め切りを設定しないなら、どれくらい多くのプロジェクトが頓挫するだろうか。**締め切りを設定しないなら、多くのことが成し遂げられないままになる。**なぜなら、ほとんどの人は物事をやり遂げないことの言い訳をいくらでも思いつくからだ。その代表例が「今、とても忙しい」「やる気が起こらない」「失敗するかもしれない」である。

一方、成功者はすすんで締め切りを設定する。彼らは一時的なモチベーションの高まりに頼らず、ふだんの地道な行動を通じて着実に物事を成し遂げる。

あなたもすすんで締め切りを設定し、期日までに物事をやり遂げるように心がけるべきだ。**締め切りを設定すると生産性が飛躍的に向上し、大きな成果が上がる**ことに気づくだろう。わずかなプロジェクトを期日までにしっかりやり遂げるほうが、多くのプロジェクトを途中で放り出すよりずっといい。

どの課題に取り組んで、それをいつまでに仕上げるかを決めよう。そうすれば、計画的に作業をすることができる。

ここで質問しよう。**自分で主体的に課題を決めて締め切りを設定するか、誰かに課題を決めてもらって締め切りを設定されるか、どちらがいいだろうか。**あなたはどちらがやる気になるだろうか。

自分を厳しく律することができなければ、他人の細かい指示にしたがわなければならない。しかも、そのほうがずっと厳しいことを肝に銘じる必要がある。

提案

自分で課題を決めて締め切りを設定し、自発的に行動しよう。

022

他人を助けるために尽力する

人生で得られる最も素晴らしい恩恵のひとつは、誠実な気持ちで他人を助けるために尽力すると、必ず自分を助けることになるということだ。

ラルフ・ワルド・エマーソン（アメリカの思想家）

何を成し遂げるにせよ、なぜそれを実現したいかを見きわめることが不可欠である。たとえば、目標を達成してより多くの自由を得たいとか、目標を追求するプロセスが楽しいといったことだ。

しかし、それだけでなく、**誰かのために全力で尽くしたいという思いも非常に強いモチベーションになる。**その対象は自分の家族かもしれないし、それ以外の大切な人たちかもしれない。

愛する人を助けるためにより一層の努力をした人の物語を読んだことがあるだろう。あるいは、そういう人の話を身近で聞いたことがあるに違いない。

では、ここで質問しよう。あなたは誰のために全力で尽くしたいと思っているか。

その人のために尽くしたいと本気で思っているとき、あなたはモチベーションを高め、より明確な目的意識を持って行動するようになる。自分がその人の人生に貢献できることにワクワクするはずだ。

あなたが「この人のためなら全力を尽くしたい」と思うのは誰だろうか。

義務感からではなく、誠実な気持ちで答えてほしい。その人とは強いきずなで結ばれているはずだ。あるいは、共通の価値観を持っている人かもしれないし、今、苦境に陥っている人かもしれない。いずれにせよ、**その人を助けたいという純粋な願望を持つことが絶対条件だ。**

あなたは誰を助けるためなら、どんな困難にも耐えて最後までやり抜くことができるだろうか。

提案
自分にとって大切な人を見きわめ、その人を助けるために全力を尽くそう。

誠実さとは、
たとえ誰も見ていないときでも
正しいことをすることだ。

C・S・ルイス
（イギリスの作家、ケンブリッジ大学教授）

PART 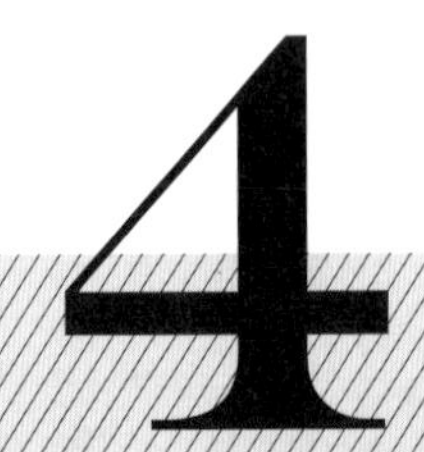

誠実な生き方をする

あなたは最大限に自己表現をし、
自分が誇りに思える人生を送るために
生まれてきた。
あなたは自分を尊敬しなければならない。
なぜなら、他のすべての人と同様、
あなたはかけがえのない存在だからだ。
自分を尊敬するためには、自分に正直になり、
ときには困難な変化を起こす必要がある。
PART4では、
誠実な生き方を通じて
自尊心を高める方法を紹介しよう。

023

自分に対して徹底的に正直になる

人生がうまくいかない原因の99パーセントは、言い訳をする習慣によるものだ。

ジョージ・ワシントン・カーヴァー（アメリカの植物学者）

あなたは自分に正直に生きているだろうか。自分の現状から目をそむけて問題を無視していないだろうか。

人生で手に入れたいものを得るためには、自分の現状を直視し、真実を見すえなければならない。気づくことは変化の必要条件だ。

あなたはどんな真実から目をそらしているだろうか。自分にどんなウソをついているだろうか。たとえば、仕事に満足していないのに満足しているふりをしていないだろうか。変化を起こすのがおっくうだから、「人生はこのままでいい」と自分に言い聞かせていないだろうか。

もちろん、急にすべての変化を起こせると期待するのは現実的ではない。しかし、「このままでいい」と自分に言い聞かせてきた分野がいくつかあるのではないだろうか。たとえば、仕事、家族、人間関係、健康はどうだろうか。

自分に対して徹底的に正直になろう。ただし、それは自分を罵倒することではなく、**自分の現状を直視し、どうすればよくなるかを正直に自問する**という意味だ。

次の質問に答えよう。

・人生で何を手に入れたいか？
・どんな質問を自分に投げかけるのを避けているか？
・もし人生をやり直せるなら何をするか？
・5年後の自分が今の自分に話しかけるとしたらどんなことを言うか？
・目標を達成するために必要なことをしっかり実行しているか？

提案
言い訳をして現実から逃げていないか真剣に考えてみよう。

024

自分だけの領域を持つ

ときには他人をがっかりさせても、自分を大切にする勇気を持とう。

ブレネー・ブラウン（アメリカの研究者、著述家）

あなたは自分の領域に他人が口出しすることを許していないだろうか。

幸せな成功者になりたいなら、自分を大切にする必要がある。もし自分を大切にしないなら、人びとはあなたを平気で利用するだろう。そういう状況を防ぐためには、自分の領域に他人が立ち入らないように一線を引かなければならない。

どんなルールを決めて一線を引くかは、あなた次第だ。自分の領域を守って自分らしく生きることが大切である。

一線を引くと気分がよくなって自尊心が高まる。さらに、自分が価値のある存在であり、そのように扱ってほしいことを周囲の人に知らせることができる。その結果、誰もあなたを利用しなくなる。

一線を引くことで得られるもうひとつの恩恵は、あなたを尊敬している人たちを引き寄せることができることだ。つまり、あなたが決めたルールは強力なフィルターとして機能し、適切な人を招き入れ、不適切な人を排除するのに役立つのである。

一線を引かないなら、人びとはいくらでもあなたの領域に立ち入ってくる。だから、自分にとって何がよくて、何がよくないかを示して人びとを「教育」する必要がある。

一線を引くのに役立つエクササイズを紹介しよう。

1　他人との関係で許容できないことを紙に書く
2　明確なルールを決めて、それを具体的に表現する
3　自分がそのルールにしたがって振る舞っている様子をイメージする
4　自分のルールを決めて一線を引く権利があることを思い出す

提案 ―― 自分らしさを大切にするために、どんなルールが必要かを検討しよう。

025

自分を尊敬する

あなたは長年にわたって自分を罵倒してきたが、効果が得られなかったはずだ。一度、自分をほめればどうなるか試してみよう。

ルイーズ・ヘイ（アメリカの自己啓発の作家）

あなたは重要な存在だ。だから自分を重要人物として扱おう。といっても傲慢になるという意味ではない。

私たちは自分を罵倒することがよくある。他人には優しくするのに、自分には同じことをしようとしない。自分に対する尊敬の念が足りていないのではないだろうか。

考えてみよう。**もし私たちが自分を尊敬していないのなら、誰が私たちを尊敬するだろうか。**

あなたは自分を尊敬することを学ばなければならない。自分を尊敬して初めて自分の価値観にしたがって生きることができるし、そうすることによって周囲の人により大きな影響を与えることができる。

一方、自分を尊敬していないなら、自分の強みを軽視し、自分をみくびっている。私たちは自分が無価値な存在だと思いがちだが、はたしてそれは真実だろうか。自分を尊敬していないのは恐怖心のせいか？　大きな責任から逃げるためか？　自分の素晴らしさを発見するのが怖いからか？　自己主張をすれば、周囲の人の反感を買うことを恐れているからか？

真実を言おう。**あなたは重要な存在だから、自分を尊敬すべきだ。**

では、自分を尊敬するとはどういう意味だろうか。たとえば、自分のための時間をとる、自分のニーズを満たす、自分に正直になる、自己主張をする、「ノー」と言うことを恐れない、といったことだ。

提案

自分は重要な存在だという認識を持とう。

026

「ノー」と言う勇気を持つ

優先事項を決めて、微笑みながら「ノー」と言う勇気を持たなければならない。しかし、そのためにはワクワクしながら「イエス」と言いたくなることを持つ必要がある。

スティーブン・コヴィー（アメリカの著述家、講演家）

あなたは意に沿わない依頼や要請に対してきっぱりと「ノー」と言っているだろうか。「ノー」と言うべきときに言わないなら、能力を存分に発揮することは難しい。**成功者は意に沿わない依頼や要請に対して遠慮なく「ノー」と言う。**だから成功するのだ。

まず、遠慮なく「ノー」と言うためには、自分の価値観と目標を知らなければならない。そうしないなら、どんな依頼や要請にも「イエス」と言ってしまうおそれがある。すべての依頼や要請について、自分の優先事項と合致しているかどうかを確認しよう。あなたは自分の価値観と目標に基づいて決定をくださなければならない。

たとえば、家族とできるだけ一緒に過ごしたいなら、昇進を優先してはいけない。副業で成果を上げたいなら、週末に人付き合いをするのは控えなければならない。つまり、「ノー」と言いたいなら、何にでも「イエス」と言うのを避ける必要があるのだ。

次に、自分の時間の使い方について謝る必要はない。あなたの時間を無断で使う権利は他人にはない。**自分の時間を提供することは、自分の人生の一部を提供することだ。**したがって、相手の依頼や要請に正当性がないかぎり、遠慮なく「ノー」と言えばいい。

最後に、社会に最大限の貢献をするためには、自分の時間の使い方について慎重を期さなければならない。誰とでも気前よく付き合う人は、能力を存分に発揮することが困難になる。なぜなら、自分の優先順位を明確にしていないからだ。**「いい人」になろうとすると、何にでも「イエス」と言ってしまい、時間を有効に使うことができなくなる。**

ただし、他人を助けるために時間を使うなと言っているのではない。自分の優先順位にしたがって目標を達成するために、遠慮なく「ノー」と言うことをすすめているのだ。

提案――遠慮なく「ノー」と言って、目標を達成するための時間を確保しよう。

027

仕事に情熱を燃やす

世の中が何を必要としているかを問うのではなく、自分が何にワクワクしているかを問うべきだ。世の中が必要としているのは、自分の仕事にワクワクしている人なのだから。

ハワード・サーマン（アメリカの教育者）

毎日、あなたはワクワクして職場に向かっているだろうか。それとも陰うつな気分で目を覚まし、いやいや職場に向かっているだろうか。

年間労働時間を１５００時間とすると、40年間で6万時間も仕事に費やす計算になる。あなたはその時間をどう過ごしているだろうか。頻繁に時計を見て終業時間を心待ちにしているか、時間の経過を忘れて仕事に没頭しているか、どちらだろうか。

自分が大好きなことをしているとき、仕事はもはや労働のように感じられない。労働にともないがちな精神的苦痛とは無縁になる。

もちろん、仕事のすべてを愛せるとはかぎらないが、膨大な時間を費やして充実感の得られない労働をしているなら、それをいつまでも続けることはおすすめできない。

ある調査によると、自分の仕事を愛しているのは全米の労働者の1割程度だという。この割合を少ないと見るか多いと見るかは別として、全米の数千万人が仕事を愛しているのだから、あなたもその人たちの仲間入りをすることができるはずだ。

充実感が得られる職業人生を設計することは、誰にとっても最優先課題である。なぜなら、仕事は人生の大部分を占め、しかも人生のそれ以外の分野から切り離せないからだ。仕事は家族や友人、健康、幸福感に大きな影響を与える。**仕事を愛しているなら人生の他の分野にも好影響を与えるが、仕事が嫌いなら人生の他の分野に悪影響を与える。**

心が病んでしまう仕事をしばらくせざるを得ない場合もあるが、それをいつまでも続けないように職業人生を設計するための戦略を練るべきだ。自分の強みを見きわめ、たとえ最初は低収入でも夢中でしたくなる有意義なことを探し求めよう。

提案——情熱を燃やしてできる仕事を見つけ、そのためのスキルを少しずつ磨こう。

028

自分の仕事に誇りを持つ

誰もが自分の仕事に誇りを持たなければならない。自分の仕事が単なる労働ではなく、人びとの暮らしに役立っていると確信するとき、私たちは最高の仕事ができる。

サティア・ナデラ（インド生まれのアメリカの実業家、マイクロソフトＣＥＯ）

あなたは自分の仕事に誇りを持っているだろうか。

いつも仕事を楽しめるとはかぎらないが、自分の仕事の品質は常に管理することができる。**顧客や上司を満足させるためだけでなく自分が満足するためにも、いつも全力を尽くそう。**いつも全力を尽くしているなら、やがてより大きな仕事を任せてもらえる。

多くの人は「もっと給料をもらえるなら、もっと働く」と言う。しかし、そういう考え方では長期的な成功につながらない。どんな仕事にも全力で取り組み、周囲の人に認めてもらえば、自分の能力に見合った高い地位につくことになる。いずれ昇進を果たすか、別の会社に転職するか、自分で事業を立ち上げることになる。

要するに、**もっと給料をもらうことを期待するのではなく、もっと仕事に精を出せばいいのだ。**そうすれば、長い目で見ると収入が増える。単に収入を増やすために仕事をするのではなく、誇りを持つために全身全霊をかけて仕事をすべきである。

仕事に打ち込み、できるだけ多くのことを学ぼう。全力を尽くし、たえず改善に努めよう。仕事に打ち込めば、仕事の醍醐味がわかるようになる。

どんな仕事でも真剣に受けとめて全力を尽くせば、より高いレベルの成功を収めるために必要な規律を身につけることができる。ささいな仕事だからといって、おろそかにしているなら、会社や上司やその他の人があなたにより大きな仕事を任せるだろうか。

最も大切なのは、自分の仕事に誇りを持つことだ。期待されている以上のことをすれば、長期的な目標を達成することができる。

提案

「仕事や学業に全力を尽くしているか？」と自問しよう。

029

助けを求める

必要なときに助けを求めることを恐れてはいけない。助けを求めるのは弱さではなく強さの証しなのだ。自分の力の限界を認める勇気を持っていることを示しているのだから。

バラク・オバマ（アメリカ第44代大統領）

人に助けを求めなければ、答えは常に「ノー」である。何を成し遂げるにせよ、それを一人で実現することはできない。「自力で財を成した億万長者」という表現があるが、それは誤解を招く言い方だ。財を成すためには、他の人たちの協力や支援が欠かせない。あなたはすべてのことを一人ではできないし、その必要もない。**あなたの夢を実現するために必要な知識、お金、人脈を持っている人はたくさんいる。**しかも、他の人たちに助けを求めると、一人で奮闘している人たちより優位に立つことができる。

ただし、その際に問題となることがいくつかある。

1　私たちは他人に助けてもらうのを避けたがる。 しかし、ほとんどの人は他人を助けるのが好きである。人の役に立つと気分がよくなるからだ。

2　私たちは他人に助けを求めるとき、利己的に見えることを恐れる。 しかし、ふだんから周囲の人を無償で助けていれば、他人に助けを求める際の心理的負担を軽減できる。

3　私たちは自分が助けを必要としていることを認めたがらない。 プライドが邪魔をするからだ。私たちは自分だけで何かを成し遂げて自分の強さを証明したがる。しかし、独力ではできないことがたくさんあるから、そんなときは他人の助けを求めればいい。

4　私たちは断られることを恐れる。 誰でも断られるのはいやだ。しかし、他人に助けを求めないことによって、自分の夢を実現する機会を失っていることに気づこう。断られるのを避けようとすると、自分の夢や目標に「ノー」と言っているのと同じことになる。謙虚な姿勢で助けを求めると、たいてい誰かが助けてくれるものだ。

提案――困ったときは謙虚な姿勢で他人の助けを求めよう。

030

遅刻をしない

自分を大切にしない人は時間を大切にしない。時間を大切にしない人は、それを使って価値を生み出すことができない。

スコット・ペック（アメリカの精神科医、著述家）

あなたはこの1か月で何回くらい遅刻しただろうか。

時間はあなたの最も貴重な資産のひとつであり、それは他の人たちにとっても同じことだ。**遅刻をすると、相手の人生のごく一部を奪っていることになる。**これは相手に対する敬意が足りない証しである。

こういう振る舞いは、自分が信頼できない人物であるだけでなく、相手の時間をあまり気にかけていないことを示している。少なくとも相手はそう考えるだろう。これでは相手の信頼を勝ち取ることは難しい。

仕事の視点からすると、あなたが稼ぐお金は他人を通じて得たものだ。だから、あなたは人びとの信頼を勝ち取って、彼らがお金を払いたくなるようにしなければならない。その第一歩が、相手の最も貴重な資産である時間を大切にすることだ。

初めて誰かと仕事をするとき、細かい点を観察しよう。相手は約束の時間どおりに現れたか？　頼んだ仕事をしっかりしてくれたか？　人びとはたいてい最初の仕事には気をつけるから、初期段階での小さなミスは不吉な予兆である。それは今後もミスが起こりうることを暗示している。

あなたと一緒に仕事をしたいと思っている人やあなたを雇おうと考えている人は、そういう細かいことに注目する。だから自分が信頼に値する人物であることを示し、よい第一印象を与えなければならない。それは**約束の時間どおりに現れる**ことから始まる。

家族や友人なら遅刻しても許してもらえるかもしれないが、仕事ならそうはいかない。もし遅れそうなら、事前に相手に知らせて了解を得る必要がある。

提案

これからの1か月間、誰と会うときも約束の時間より少し前に到着しよう。

031

何かを生み出すことに喜びを見いだす

何かを生み出したいという欲求は十分な動機になる。自分の心の中に革命を起こすものをすすんで創造しよう。

エリザベス・ギルバート（アメリカの小説家）

あなたは主に消費者か生産者のどちらだろうか。

目標を次々と達成する人は、先を見通して行動する。テレビを延々と見たり飲み会を開いたり買い物をしたりしてストレスを発散するのではなく、夢や目標を実現するために必要な行動を起こす。彼らはモノや情報の消費よりも生産に意識を向ける。たとえば、本を読むだけでなく自分で書く、音楽を聴くだけでなく曲をつくる、情報を受信するだけでなく発信する、動画を見るだけでなく制作する、といったことだ。

お金や時間の余裕ができれば、いつでも消費することができる。しかし、当面は消費者よりも生産者になろう。**学んだことを実行して何かを生み出すために多くの時間を使えば、人生で大きな成果を上げることができる。**

私たちは創造性を発揮して自己表現をしているときにより大きな幸せを感じるものだ。そして、それは世の中に発信したいものを生産することから始まる。たとえば、本を書いたり曲をつくったりするのがそうだ。人間は何かを生み出すのが好きな生き物で、たえず何かを生み出さないと不満や退屈を感じる。

一方、何かを消費しているときは一時的な喜びしか得られない。テレビを見て漫然と過ごすより、自分の才能を発揮して生産的な活動をしたほうが楽しいし、自分が生み出したものに誇りを持てるはずだ。

一般に、**成功者は何かを生み出すのが大好きだ。**彼らは自分の才能やスキル、創造性を発揮する方法をたえず考え、受け身の姿勢でモノや情報を消費するよりも主体的に生産することに喜びを見いだす。

提案——非生産的な活動を控えて生産的な活動をするために何ができるかを考えよう。

自分の能力に気づいて自信を持てば、
誰もがよりよい世界をつくることができる。

ダライ・ラマ14世
（チベット仏教最高指導者）

PART 5 自信をはぐくむ

あなたは自分を信じているだろうか。その気になれば
何でもできるという自信を持っているだろうか。
成功者は大きな自信を持っている。
不可能だと思い込んでいたことを成し遂げる
原動力になるのが、揺るぎない自信である。
大きな夢や目標を実現するためには、
あなたも自信をはぐくむ努力をすべきだ。
とはいえ、心配する必要はない。
今はあまり自信がないかもしれないが、
大きな自信をはぐくむことは可能である。
自信はスキルであり、他のどんなスキルと同様、
それは学んで身につけることができる。
揺るぎない自信を身につければ、
すべてのことが変わり始める。
PART5ではその方法を説明しよう。

032

「自分はできる」と信じる

自分の能力を信頼しよう。謙虚な姿勢で自分の能力に信頼を寄せることができないなら、幸せな成功者になることはとうていできない。

ノーマン・ヴィンセント・ピール（アメリカの牧師）

長期にわたって強く信じることは現実になりやすい。したがって、**人生で何を成し遂げるにせよ、その出発点は「自分はできる」と信じることだ。**つまり、夢は現実になると信じることが大切なのだ。

信じることは、眠っている能力を呼び覚まし、創造性を解き放つ。「自分はできる」と信じると、「どうすればいいか？」と自問するようになる。それが成功への旅の始まりである。

たとえば、次のような質問がそうだ。

- どうすれば理想的な職業生活を送れるか？
- どうすれば理想のパートナーに出会えるか？
- どうすれば理想的な家庭を築くことができるか？
- どうすればお金をもっと稼ぐことができるか？

成功者はよりよい質問を自分に投げかける。そして、その結果として大きな成果を上げる。彼らの仲間入りをしよう。目標の達成に役立つ質問を自分に投げかけよう。

「自分は目標を達成する能力を持っている」という揺るぎない信念を身につけることは、人生を変えるうえで最も強い力を持っていることのひとつだ。他の人たちができるなら、あなたにもできる。「自分はできる」と信じることが、成否の分かれ目になる。

提案――自分の最大の夢や目標を選び、それを実現できるという信念を持ち、その理由を書き出し、その目標に向かって前進するためにできることをすべて書き出そう。

033

望んでいるものに意識を向ける

成功の秘訣は、自分が望んでいるものに意識を向けることだ。

ブライアン・トレーシー（アメリカの著述家、講演家）

あなたは望んでいないものに意識を向けてエネルギーを浪費していないだろうか。

いったん浪費したエネルギーは取り戻すことができない。だから、望んでいるものに意識を向けるべきだ。朝起きたら、ワクワクすることを考えよう。夜寝るとき、理想的な未来を思い描こう。昼間も、望んでいるものにたえず意識を向けよう。

望んでいないものに意識を向けると、ネガティブな精神状態に陥り、行動を起こすのがおっくうになる。やがて自分を疑い、夢や目標を断念することになりかねない。

たとえば、自分の仕事や経済状態についてたえず心配してもうまくいかない。エジソンは度重なる「失敗」について思い悩みながら白熱電球の発明に成功したのだろうか。もちろんそんなことはない。達成したい目標に意識を向けながら最後までやり抜いたのだ。**望んでいるものに向かって前進するとき、ポジティブな精神状態を維持する能力が、夢や目標を達成するためのカギになる。**だからエジソンのように、望んでいるものが手に入るまで、それに意識を向ける習慣を身につけなければならない。

たとえば、もっとお金を稼ぎたいなら、お金が足りないことに意識を向けるのではなく、すでに持っている素晴らしいものに感謝しながら、より多くの富を創造することにワクワクし、富を創造した人たちの本を読み、お金について学び続けよう。

人前で話すのがうまくなりたいなら、自分の乏しいコミュニケーション能力に意識を向けるのではなく、自分が素晴らしいスピーチをしている姿を思い描いて練習しよう。

望んでいないものではなく、望んでいるものに意識を向けること大切だ。そうすることで勇気がわいてきて、目標を達成するために前進し続けることができる。

提案　望んでいるものを紙に書き、それに意識を向けて最初の一歩を踏み出そう。

034

有害な信念を有益な信念と取り替える

「その気になれば、何でもできる」という信念を持って生きていこう。

ディーパック・チョプラ（アメリカの医師、著述家、講演家）

悪い知らせを紹介しよう。あなたはこれまでずっとプログラミングされてきた。あなたは子供のころに繰り返し「ウソ」を教えられたために、ネガティブな信念を持つようになり、自分にはできないことがたくさんあると思い込んでしまった。親、きょうだい、親戚、友人、知人、教師が自分の抱いている恐怖心をあなたに伝えたからだ。したがって、あなたの信念の大半は実際にはあなたのものではない。それは他の人たちの信念であり、あなたはそれをたいてい無意識に受け入れたのだ。

よい知らせを紹介しよう。あなたは従来のプログラミングを再設定し、ポジティブな信念と取り替えることができる。

信念が人生で手に入れる結果の大部分を決定づけるという事実を肝に銘じよう。ネガティブな信念はネガティブな結果をもたらすから、充実感が得られない。一方、ポジティブな信念はポジティブな結果をもたらすから、充実感が得られる。したがって、**人生の目標を達成するためにはポジティブな信念を持たなければならない。**

ネガティブな信念をポジティブな信念と取り替えるプロセスを説明しよう。

1　人生の特定の分野で目標を達成できていない理由を考える
2　その理由の原因になっているネガティブな信念を紙に書く
3　ポジティブな信念を一人称現在形で具体的かつ簡潔に表現する

たとえば、「忙しくて、したいことができない」というネガティブな信念を持っているなら、「私はしたいことをする時間をつくる」というポジティブな信念と取り替えよう。

提案　人生に支障をきたしているネガティブな信念に気づこう。

035

自分の小さな成功を祝う

人生で祝うべきことを見つければ見つけるほど、祝いたくなることが増える。

オプラ・ウィンフリー（アメリカのテレビ司会者）

人生は順境と逆境の繰り返しである。挫折するたびに自分を罵倒することもできるが、自分の小さな成功を思い出して祝うこともできる。どちらのやり方が長い目で見て役立つだろうか。

私たちは自分の失敗や短所にこだわる傾向があり、これまでの成果を過小評価しがちである。しかし、それでは自分の無能ぶりに幻滅し、自信を失ってしまいやすい。

だから、**どんなにささいなことでもいいから、自分の成功を祝福する習慣を身につければ、ポジティブな心の姿勢を維持するのに役立つ。**あなたは自分のコーチとして、困難なときでも前進を続けるように自分を励ますべきだ。このポジティブな心の姿勢こそが、度重なる挫折を乗り越える原動力になる。

たとえうまくいかないことがあっても、失敗したのではなく、教訓を学ぶ機会を得たと考えよう。成功のプロセスとはそういうものだ。だから、何がうまくいかないかを確認し、目標を達成するにはどのように軌道修正すべきかを検討すればいい。

挫折を経験せずに目標を達成できると期待するのは非現実的である。**私たちは試行錯誤を通じて学ぶようにできている。**だから、うまくいかない方法を知り、うまくいく方法を探せばいい。一時的な挫折は避けられないことを理解し、それぞれの挫折から学んで長期的な成功につなげよう。

提案

一日の終わりに「今日の教訓を次にどう生かせばいいか？」と自問しよう。

036

きっとうまくいくと確信する

人生がうまくいくための第一歩は、きっとうまくいくと確信することだ。

ウィル・スミス（アメリカの俳優）

あなたは能力不足に悩むことがないだろうか。

物事がうまくいかないとき、「どうせ自分にはたいしたことはできない」と感じてしまいやすい。しかし、そんなふうに自分を哀れむのではなく、「いつか必ず大きな成果を上げることができる」と確信して自分を鼓舞したほうがいい。

「自分は能力不足だからうまくいかない」というネガティブな考え方から「今はまだこの程度だが、いつかきっとうまくいく」というポジティブな考え方に転換することは、人生全般の成否の分岐点になる。

提案

以前はうまくできなかったけれど、今は簡単にできることを思い浮かべよう。

私たちは自分が長期的に向上する能力を持っていることを見落としがちだ。もちろん、誰もが超一流のレベルに達するわけではないが、時間をかけて努力すれば、たいていのことはうまくできるようになる。

たとえば、人気講師の中には口下手だった人もいる。トップ営業マンの中には仕事ができなかった人もいる。有名作家の中には文章がうまく書けなかった人もいる。

幸い、私たちの脳はたいていのことをマスターする力を持っている。初めてクルマを運転したときのことを覚えているだろうか。当初、それは複雑すぎて圧倒されそうになり、「自分にはクルマの運転は永久に無理だ」と思い悩んだかもしれない。しかし、練習を積むうちに、意識しなくても自然にうまく運転できるようになったはずだ。

要するに、**今はまだうまくできないことでも、時間をかけて練習すれば、たいていうまくできるようになる**ということだ。だから、「自分は能力不足だ」と思い込むのではなく、「いずれ自分はできるようになる」と確信して努力すれば、いつかきっとうまくいく。

037

身の回りのチャンスに気づく

ひとつの扉が閉まると、別の扉が開く。しかし、閉まった扉を残念そうに眺めているかぎり、新たに開いた扉に気づくことができない。

アレクサンダー・グラハム・ベル（アメリカの科学者、発明家）

あなたは身の回りのチャンスに気づいているだろうか。「自分にはチャンスは回ってこない」と思って消極的になっていないだろうか。

成功しない人は「チャンスなんてどこにもない」と思い込む。一方、成功する人は「チャンスはどこにでもある」と考える。

実際、現代社会ではチャンスはいくらでも転がっている。しかも、**私たちはアイデアを無限に思いつくことができるから、チャンスとアイデアを自在に組み合わせればいい。**

チャンスを見つけることは、練習すれば身につくスキルである。どうすればよりよい製品やサービスを提供できるかを考え、「チャンスがない」という思い込みを捨てよう。

とはいえ、心配する必要はない。アイデアを実現するスキルを持ち合わせていなくても、現時点では可能性について考えるだけで十分だ。**何かができるようになるには、「自分はそれができる」と確信しなければならない。**懐疑的にならず、常に心を開いておこう。

次に、**チャンスを見つけるのに役立つ質問を自分に投げかけよう。**最近のトレンドは何か？　どの業界が成長しているか？　世の中はどの方向に進んでいるか？　市場ではどんなニーズが満たされていないか？

人びとはいつも問題を抱えていて、それを解決するのを手伝ってくれる人を必要としている。だからチャンスは常にいくらでもある。

誰もがアイデアを持っているが、大切なのは、それを実行に移すことだ。**恐怖と欠乏におびえて生きるのではなく、身の回りに転がっているチャンスを探し求めよう。**そして、自分のスキルを磨けば、さらに大きなチャンスが目の前に現れる。

提案　身近なことで見落としがちな改善点を探そう。

038

大きく考える

大きく考える人は前向きで楽観的なイメージを思い描くのが得意だ。ただし、大きく考えるためには、大きくてポジティブなイメージをつくり出す言葉を使う必要がある。

デイヴィッド・シュワルツ（アメリカの心理学者、ジョージア州立大学教授）

あなたは当初の目標を達成するのは無理だと思って、その目標を小さくしたことはないだろうか。

目標をいくつかの小さな課題に細分化することは間違っていないが、目標そのものを小さくするのはよくない。大きな目標を追求するのをやめると、ワクワクしない中途半端な目標を設定することになるからだ。ビジョンを実現するという熱意がないなら、とるべき行動をとらずにグズグズしてしまい、たいてい不本意な結果に終わる。

したがって、**目標が大きいことを心配するのではなく、大きな目標がもたらすワクワク感を維持する必要がある。**ワクワクすればするほどいい。何週間も何か月も目標を忘れられないなら、それには理由があるはずだ。だから、たとえ小さなステップでも、その目標に向かって前進を開始しよう。

そのカギは、**大きく考えて小さく出発する**ことだ。どんなにビジョンが大きくても、それを実現するのは日々の小さな課題の達成の積み重ねである。

大きく考えるべきもうひとつの理由は、大きな目標を追求することで人間的に成長するからだ。大きな目標を追求するためには、自信をわき上がらせ、規律を身につけ、試練を乗り越える力を持たなければならない。**大きな目標を達成する意義は、目標そのものを達成することよりも、目標を達成するプロセスで人間的に成長することにある。**

だから自分を見くびらずに大きく考えよう。より大きな人物になるために大きく考えよう。たとえ崇高なビジョンを実現することはできなくても、そのプロセスで素晴らしい人物になることができる。

提案

大きな目標を思い描き、小さな一歩を踏み出して前進を開始しよう。

039

楽観主義を身につける

楽観主義とは、困難な時期でも弱音を吐かずに最高の結果を出せると確信することだ。未来に対して悲観的な見方しかできない人についていきたいと思う人はいない。

ロバート・アイガー（アメリカの実業家、ウォルト・ディズニー・カンパニーＣＥＯ）

物事が計画どおりにいかないと、情熱を失いやすい。しかし、**すべての失敗には教訓が秘められているから、どんな挫折でも次に生かすことができる。**とはいえ、うまくいかないことがあると、「もうダメだ」と思ってやる気をなくす人があまりにも多い。

悲観主義の大きな問題は、落ち込んでいても人生が少しも好転しないことである。うまくいかないことやうまくいかないかもしれないことに意識を向けてしまい、ますますうまくいかなくなるからだ。

楽観主義者になることは、問題を無視するという意味ではない。それは現実を直視したうえで、ネガティブな側面ではなくポジティブな側面に意識を向けることである。**ポジティブな側面に意識を向けて建設的な解決策を模索すると、創造性が解き放たれて気分が高揚する。**困難に遭遇してもポジティブな姿勢を維持することは、幸せな成功者になるために必要な心構えだ。

自分を哀れんだり不運を嘆いたりしているかぎり、能力を存分に発揮して目標を達成することができず、充実した人生とは無縁になる。

だからこそ楽観主義を身につけることが大切なのだ。楽観主義はよりよい未来を切り開くのに不可欠である。

物事の明るい側面に意識を向け、常に感謝の気持ちを持ち、物事を前向きにとらえよう。一時的な失敗は避けられないことを理解し、楽観的な姿勢で目標に向かって前進を続ければ、長い目で見てより多くのことを達成できて感動することだろう。

提案——楽観主義を身につけるためにできることを3つ書いてみよう。

040

自分の可能性に賭ける

誰もが素晴らしい可能性を秘めている。だから自分への投資は最高の投資となる。

ウォーレン・バフェット（アメリカの実業家、投資家、慈善家）

世界中の大勢の人が、いつか宝くじに当選してバラ色の人生を送りたいとひそかに思っている。あなたはどうだろうか。

悪い知らせを紹介しよう。おそらくその願いは永久にかなわない。どの国でも宝くじの高額当選の確率は数百万分の一で、落雷や飛行機事故で死ぬ確率より低いのが現状だ。

宝くじに賭けるのは得策ではない。それでは人生を変えることはできないからだ。宝くじに賭けているかぎり、いつまでたっても夢や目標を実現できない。

宝くじで一発逆転を狙いながら暮らしている人は世の中にたくさんいる。しかし、そういう生き方をして本当に充実感が得られるだろうか。**たまたま何らかの出来事が起こって人生が好転することを期待するのは大問題である。**それは自分の力を放棄することになるからだ。自分の力でできることをするのではなく、外部の力で人生が好転することを祈ってもうまくいかない。

よい知らせを紹介しよう。**あなたは人生を変える力を持っている。**宝くじの当選番号をコントロールすることはできないが、自分の思考、感情、行動をコントロールすることはできる。自分の思考、感情、行動を変えれば、人生は必ず変わる。

宝くじであれ、その他の何であれ、外部の力が自分を救ってくれると信じるのはあまりいいことではない。もし物事が変わるとすれば、それは自分から始めなければならないことを認識すべきだ。

宝くじに賭けるのではなく、自分の可能性に賭けよう。あなたにとって、そのほうが勝算はずっと高いはずだ。

提案——外部の力に頼らず、自分の力で道を切り開く方法を考えてみよう。

041

自分の存在価値に目覚める

あなたは社会に貢献するために存在している。そして、その最高の方法は、自分の知識と経験を活用して人びとの力になることだ。

ブレンドン・バーチャード（アメリカの作家、ライフコーチ）

「自分には価値がない」という思い込みほど、やる気をなくさせるものはない。しかし悲しいことに、現代社会はあなたの無力感を助長させる傾向がある。

具体例を紹介しよう。

・政治家は自分を救世主に見せかけるために「皆さんは被害者だ」と主張する
・エコノミストは「景気が悪いので国民生活は苦しくなる一方だ」と強調する

・教祖は「あなたの力では道を切り開けないから信仰に頼りなさい」と力説する

無力感にさいなまれている人たちを自分の都合のいいように心理操作するのはたやすい。しかし、**あなたは自分が思っているよりもはるかに大きな力を持っている。**

あなたは自分と同じ人はどこにもいないことに気づいているだろうか。誰もが独自の才能とスキルを持っている。したがって、それを伸ばして、自分だけでなく周囲の人の生活を向上させることは、私たち一人ひとりの責務である。

あなたは価値のある存在だ。なぜなら、どんな状況であれ、他の人たちを助けることができるからである。自分の行動がどれだけ影響力を持っているかを知らないかもしれないが、だからといって何の影響力もないということにはならない。大なり小なり、これまで助けてきた人たちを思い浮かべよう。

あなたはいつも何らかのかたちで他の人たちの暮らしに貢献することができる。だから、自分の言動に責任を持って生きていくことが大切だ。

提案 ― 独自の才能とスキルを生かして社会に貢献しよう。

042

恐怖に立ち向かう

世の中で最悪のウソつきは、私たち自身の中に潜んでいる恐怖心である。

ラドヤード・キップリング（イギリスの小説家、詩人）

自分の能力をどれだけ発揮できるかは、苦しみにどれだけ耐えられるかに比例する。苦しみに耐えないかぎり、筋肉は成長しない。それと同じことがあなたにもあてはまる。**恐怖に立ち向かわないかぎり、自分に何ができるかを見きわめることはできない。**

究極的に、恐怖は幻想である。それに気づく唯一の方法は、行動を起こすことだ。**勇気を出して立ち向かえば、恐怖はすぐに消える。**なぜなら、恐怖は心の中でつくったものにすぎないからだ。

恐怖に立ち向かうと、それがたいしたことではなかったと気づくはずだ。おそらくそのとき幸福感が得られたに違いない。それは、あなたが勇気をふるって挑戦したことに対する精神的な報酬だ。

恐怖に立ち向かって挑戦を続けると、信じられないくらい大きなことを成し遂げることができる。人類の歴史上、強い目的意識と熱烈な願望を持った人たちは、恐怖を乗り越えて大勢の人の人生に影響を与えてきた。

自分には何もできないと思い込んではいけない。自分にどれだけのことができるか見きわめるためのヒントを紹介しよう。

- **小さく始める。**少し怖いと感じることをして自信と勢いをつけよう。
- **大胆なことに挑戦する。**できないと思っていることをやってみよう。
- **成功者の支援を得る。**一人で取り組むのではなく、成果を上げた人に相談しよう。

提案——やるべきだとわかっているのに怖くてできないことに挑戦しよう。

043

イメージトレーニングをする

イメージトレーニングはどの分野の成功者も実践している手法で、脳の働きをよくし、潜在意識を活性化し、引き寄せの法則を作動し、やる気を高める効果がある。

ジャック・キャンフィールド（アメリカのサクセスコーチ）

未来について考えるとき、最善の状況と最悪の状況のどちらを思い描くだろうか。

人間が他の生物と決定的に異なるのは、何かが実際に起こる前に想像する能力を持っていることだ。たとえば、会議での発言やスポーツの試合のリハーサルを心の中ですることができる。これは驚異的なことではないだろうか。

想像力は最も貴重な資産のひとつで、意志力よりも強い力を持っている。**成功者はたえず理想の未来を想像し、人生のすべての分野で成功している様子を何度も心の中で見る。**

単に白昼夢にふけるのではなく、理想的な状況が現実になるように素早く行動を起こす。

潜在意識は現実と想像の区別をつけることができないから、**イメージトレーニングによって、なりたい自分になる練習をたえず心の中ですれば、やがて実際にそのような人物になることができる。**たとえば、自信にあふれ、勇敢で、辛抱強い自分の姿を頻繁に想像すれば、やがてそのように振る舞うことができる。

実際、多くの経営者、スポーツ選手、ミュージシャンが事前にイメージトレーニングをすることによって本番でのパフォーマンスを改善している。具体例を紹介しよう。

- 経営者は会議で熱弁をふるって社員を説得している様子を事前に想像する
- スポーツ選手は試合で最高のプレーをしている様子を事前に想像する
- ミュージシャンは見事な歌や演奏を観衆の前で披露している様子を事前に想像する

これはどの分野でも同じで、イメージトレーニングは成功への大きな原動力となる。

提案――毎日数分間、自分が人生のすべての分野で成功している状況を想像しよう。

044

ポジティブなセルフトークを実践する

何らかの思いを繰り返し自分に言い聞かせると、それは信念になる。そして、その信念が強い確信になると、それはいよいよ現実になり始める。

クロード・ブリストル（アメリカの著述家、講演家）

あなたは自分にふだん話しかけているような調子で恋人に話しかけるだろうか。

ほとんどの人は自分を罵倒する悪いクセを持ち、ミスを犯すたびに心の中で自分を叱りつける。たとえば「なんてバカだ」「この愚か者、ちゃんとしろ」「怠けずにしっかり働け」などと言うのがそうだ。つまり、自分を罵倒し、侮辱し、精神的に虐待しているのだ。もしそんな口調で他人に話しかけたら、いじめかハラスメントで訴えられるだろう。

自分にどのように話しかけるかで、自分の感情がほぼ決まる。だからセルフトーク（自分との会話）は成功と幸福の主な構成要素なのだ。自分を叱りつけて成果を上げることは可能だが、そういうやり方は精神衛生上とても悪い。

自分を叱りつけなければ有意義なことを成し遂げられないという考え方があるが、それは真実ではない。自分を叱りつけて成果を上げる人は、そのおかげで目標を達成したのではなく、それにもかかわらず目標を達成したのだ。

考えてみよう。あなたはコーチにいつもきつく叱られて楽しいだろうか。ベストを尽くすよう温かく励ましてくれるコーチに寄り添ってほしいのではないか。だとすれば、**自分を叱りつけて頑張るより、自分を励まして頑張ったほうがずっと気分がいい**はずだ。

その具体的な方法を紹介しよう。

提案

心の中の対話を常に監視し、自分を鼓舞する話し方を心がけよう。

- 元気が出る言葉に出合ったら、それを書きとめて何度も口に出す
- ポジティブなセルフトークの実例をユーチューブで聴いて覚える
- 自信がわき上がる言葉をモットーにしてたえず自分に言い聞かせる

精神的に健全でない人は
現実から目をそむけるが、
精神的に健全な人は
現実を直視することができる。

スコット・ペック
（アメリカの精神科医、著述家）

PART 6

現実を正確に把握する

あなたは現実から目をそむけていないだろうか。
もしそうなら、いつまでたっても
目標を達成することはできない。
目標を達成するためには、
現実から目をそむけるのではなく、
現実を直視して一定の法則にしたがいながら
正しい努力をする必要がある。
PART6では、
現実を直視して
一歩ずつ目標に近づくための
方法を紹介しよう。

045

現実を直視する

希望的観測をまじえず、現実をあるがままに見よう。それがすべての出発点だ。

ジャック・ウェルチ（アメリカの実業家、ゼネラル・エレクトリック元CEO）

あなたは現実を無視して生きていきたいと思っていないだろうか。

しかし、それはあまりにも無謀である。現実を無視するかぎり、必ず敗退する。現実を無視した方法で成功しようとしても苦労するばかりで、いつまでたっても目標を達成することはできない。

だから現実を直視することは絶対に不可欠なのだ。いったんルールがわかれば、結果を出しやすくなる。

では、現実を直視するとはどういう意味だろうか。

・うまくいくことといかないことをたえず見きわめる努力をする（たとえば、その分野にくわしい人から学ぶ）
・試行錯誤を繰り返して現実の厳しさを知る
・常に心を開いて、不適切な決定につながる思い込みを避ける
・自分の失敗から学ぶ勇気を持つ
・よりよい決定をくだすために現実を客観的に観察する

現実を直視すればするほど、どのような課題でも成功する確率が高くなる。

こんなふうに考えてみよう。現実に対して幻想を抱いている人は、めったに目標を達成できない。たぶんあなたはそういう人を知っているだろう。彼らは立派な目標を掲げるのだが、現実認識が間違っているために目標を達成することができない。現実が間違っているのではなく、やり方が間違っているのだ。

提案

時間をとって現実を直視し、目標を達成する可能性を最大化する戦略を練ろう。

046

思い込みを捨てて実際にやってみる

「できない」という言葉は、強者を弱者にし、勇者を臆病者にし、幸せな人を不幸にし、偉人を凡人にし、天才から才能を奪い、すべての人の成果を限定する力を持っている。

ロバート・キヨサキ（アメリカの実業家、講演家、著述家）

あなたはこれまでの人生で、思い込みのために損をしていたことに何回くらい気づいただろうか。

実際、私たちの認識はたいてい不正確である。かぎられたデータしか持ち合わせておらず、しかも身の回りの情報のごく一部しか処理できないからだ。

一般的指針として、**情報をたくさん得れば得るほど、私たちの認識は正確になる。**逆に、情報が不足していればいるほど、正確な決定をくだすことが困難になる。

私たちはいつも何らかの思い込みをしながら過ごしている。根本的な信念すら思い込みにすぎないことすらある。たとえば、実際にやってみればできることでも、自分には絶対にできないと思い込んでいるのがそうだ。

思い込みは人生全般に大きな損失をもたらす。具体例を紹介しよう。

1　きっとうまくいかないと思い込んで新しいアイデアを試すのをあきらめる
2　自分にはとうてい無理だと思い込んで崇高な目標を追求するのをあきらめる
3　断られるに決まっていると思い込んで意中の人とデートするのをあきらめる

要するに、**「どうせダメだ」と思い込むのではなく、勇気を出してやってみる**ことだ。これは仕事でもプライベートでも成果を上げるための最善の策である。やってみたらうまくいった経験が何度かあるに違いない。思い込みを捨てて実際にやってみると、難しそうなことが意外と簡単にできることがよくあるものだ。

提案——うまくいかないと思い込んで断念していたことに挑戦しよう。

047

自分の現状を打ち破る

私たちが生き残れるかどうかは、新しい時代に適応し、変化の試練を乗り越えることができるかどうかにかかっている。

マーティン・ルーサー・キング（アメリカの宗教指導者）

もしあなたが他の人たちと同じことをやり続けるなら、彼らと同じ結果をずっと得ることになる。アメリカのアンケート調査のデータを紹介しよう。

・国民の7割が仕事にほとんど熱意を持っていない。
・国民の4割が1千ドル以下の貯金しか持っていない。

あなたはこの数字の該当者になりたいだろうか。もしそうなりたくないなら、自分の現状を打ち破らなければならない。

たとえば、「みんなそうしている」という理由で、嫌いな仕事をいつまでも続けていいという考え方を改めよう。どんな職業人生を設計したいかを考えて決定し、それを実現するために必要なことをしよう。

他の人たちと同じことをするのではなく、自分の頭で考えることが大切だ。望んでいるものを見きわめ、それを手に入れるための明確な行動計画を立てよう。

自分が置かれている現状を変えることはできないと思ってはいけない。現状を打ち破る解決策を探そう。**自分は被害者だという思いを捨てて道を切り開く努力をしよう。**

あなたは社会の大切な一員だ。だからあなたが変われば、ほんの少しだけ社会を変えることができる。

あなたは思っている以上の力を持っている。だからその力を使って現状を打ち破り、自分が理想とする人生設計をしよう。

提案――自分の現状を打ち破るために何ができるか考えてみよう。

048

お手本を探す

すでに成功した人をお手本にしよう。その人は成功の手がかりを教えてくれている。

アンソニー・ロビンズ（アメリカのライフコーチ）

成功を収めるうえで、あなたにはふたつの選択肢がある。

1　自分でいろんなやり方を試すこと
2　成功者が歩んだ足跡をたどること

目標を達成するカギは、お手本となる人の心構え、信念、習慣を学んで身につけることだ。そのためには、その人の戦略を分析し、成功するために何をしたのかをつぶさに知る必要がある。

つまり、自分でいろんなやり方を試すよりも、成功者が歩んだ足跡をたどるほうが合理的なのだ。たとえば、その人の講演をユーチューブで見る、著書を読む、セミナーを受講する、などなど。もちろん、直接指導してもらえるなら、それに越したことはない。

お手本となる人の成功例を学び、「自分もできる」と信じよう。なぜなら、その人ができたのなら、きっとあなたもできるからだ。お手本となる人からなるべく多くのことを学び、目標を達成するまで改善に努めよう。

一方、否定的なことや懐疑的なことを言う人たちとは距離を置いたほうがいい。彼らはあなたが成功しない理由を並べ立てて自信を失わせるおそれがある。

成功するための大きな要素は、うまくいかないときでも楽観的な姿勢を貫くことだ。突破口が開けるまでポジティブな心の姿勢を維持し、自分を徹底的に信じることは、困難に遭遇しても前進を続けるのに役立つ。

提案
大きな目標を達成した人を見つけて成功の秘訣を学ぼう。

049

考える時間をつくる

考えることは最も難しい。だから真剣に考える人がこんなにも少ないのだ。

ヘンリー・フォード（アメリカの実業家、フォード・モーターの創業者）

人びとは心配したり空想をめぐらしたりするが、真剣に考えることはめったにない。たとえば、考えることは次のことをさすのではない。

・過去について思い悩む
・未来について心配する
・被害者意識を持つ
・不平不満を言う

・専門家に教わったことを受け売りする

ほとんどの人は以上のことを考えることだと思っているが、それは誤解だ。あなたが持っている考える能力は驚異的であり、それを過小評価してはいけない。**考える時間を確保すると、自分のビジョンを研ぎ澄まし、生産性を改善し、幸福感を高めることができる。**考える習慣を身につけることは大局観を持つのに役立つ。その結果、よりよい決定をくだすことができる。

たとえば、考える時間を次のことのために使おう。

・自分が正しい方向に進んでいるかどうかをチェックする
・どうすればもっとうまくできたかを振り返る
・生産性と幸福感を高めるためのプロセスを最適化する
・人生のどの分野でも結果を出すための方法を模索する

提案

時間をとって自分の人生を改善する方法について考えてみよう。

050

人生に対して長期的な展望を持つ

目が見えないことより具合が悪いのは、目は見えているのにビジョンを持っていないことだ。

ヘレン・ケラー（アメリカの社会運動家）

あなたは自分の人生に対して長期的な展望を持っているだろうか。

長期的な展望を持つことは、将来の成功を予測する目安のひとつである。そして、それは自分の人生に対して具体的なビジョンを持つことから始まる。**明確な将来設計をして初めて、そのビジョンを現実にするために何をすべきかがわかる。**

しかし残念ながら、ほとんどの人はあいまいなビジョンしか持っていない。その結果、日々を漫然と過ごし、すぐに迷走してしまう。

「今日していることをこのまま続ければ、5年後にはビジョンが実現するだろうか?」と自分に問いかけよう。もしその答えが「ノー」なら、大きな変化を起こす必要がある。人生に対して長期的な展望を持つことが有効である理由を説明しよう。

- 自分の価値観と目標について考えるきっかけになる
- 何に集中し、何を無視すべきかを区別するのに役立つ
- 目的意識が高まり、ワクワク感が持続する
- 貴重な情報を収集し、チャンスを見つけることができる

人生に対して長期的な展望を持つことは、それを実現するための戦略を練ることにつながる。長期的な展望がなければ、主体的に行動することはできない。一方、長期的な展望があれば、主体的に行動することができるから、よりよい結果が手に入る。

提案
10年後、自分は精神的、肉体的、経済的にどうなっていたいかを考えよう。

051

成功はプロセスであることを理解する

成功のカギとなる要素は、辛抱強さである。

ビル・ゲイツ（アメリカの実業家、マイクロソフトの共同創業者）

成功はひとつの出来事ではなく一連のプロセスである。だから、わずかな行為によって一足飛びに成功を収めることを期待してはいけない。**本当の意味での成功とは、長期にわたってたゆまぬ努力を辛抱強く積み重ねた結果なのだ。**それは次の3つのステップから成り立っている。

1　目標を達成するための最善の策を分析する
2　そのプロセスの中で重要な課題を見きわめる

3　結果が出るまで長期にわたってその課題に取り組む（と同時に、戦略に適合しないことを避ける）

戦略を練ることはきわめて重要である。なぜなら、すべきこととすべきでないことが明確になるからだ。ところが、多くの人は戦略を立てようとせず、相場で手軽に金儲けをしようとしたり、一獲千金をうたうデタラメな手法に頼ったりする。

要するに、**成功したいなら、短期的な戦術を実行するのではなく、長期的な戦略を立てて行動すべきだ**ということだ。それができれば、途中で道に迷いそうになっても、辛抱強く方針に従うことによって目標を達成することができる。

言い換えると、本当の意味での成功を収めるためには安易な方法に飛びつくのではなく、地道な下準備をして一歩ずつ階段を上っていく必要があるということだ。

提案

目標を達成するために重要な課題と日々の習慣を見きわめよう。

052

失敗をプロセスの一部とみなす

人びとはひたすら成功を願い、失敗を恐れる。しかし、失敗はとても重要だ、と私は思う。なぜなら、失敗を生かす能力が成功につながるのだから。

J・K・ローリング（イギリスの小説家）

「失敗」は誤解されがちな言葉だ。物事を成功と失敗のふたつに分ける考え方は不正確であるばかりか、やる気をそぐおそれがある。なぜなら、いわゆる「失敗」とは、私たちが成功と呼んでいるプロセスの一部だからだ。つまり、**成功と失敗は別々のものではなく、何度も挑戦を続けて失敗することによって、うまくいくやり方とうまくいかないやり方を学んで目標を達成し、成功することができる**ということだ。

だから、新しいことに挑戦して、いきなりうまくいくと期待するのは、愚かとは言わないまでも非現実的である。ところが多くの人はまさにそれをしている。彼らは非現実的な期待を抱いているため、期待が外れると、すぐにがっかりして「自分は運が悪い」とか「頭が悪いから成功しない」と思い込んであきらめてしまう。

しかし、それは現実認識が間違っている。**成功とは、試行錯誤の連続で成り立っている一連のプロセスなのだ。**脳は教訓を学ぶために「失敗」という名のフィードバックを必要としている。それ以外にどうやって学ぶことができるだろうか。

成功者は失敗を避けられないものとみなす。だから、目標を達成するまで何回でもすすんで失敗する。つまり、成功者は試練に対して現実的なアプローチをするのだ。すすんで失敗し、教訓を学ばないなら、一流のレベルに到達することはできない。失敗を怖がっているかぎり、能力を存分に発揮することはできない。したがって、**成功するためには失敗を恐れずに挑戦し、学び続ける必要がある。**

周囲の人よりもたくさん失敗しよう。そうすれば、長い目で見て、自分の予想をはるかに超える大きな成功を収めることができる。

提案　人生のどの分野で挑戦が足りていないかを考えてみよう。

053

よりよい質問を自分に投げかける

よりよい質問を自分に投げかけなければ、よりよい人生を築くことはできない。

エドワーズ・デミング（アメリカの統計学者、品質管理の第一人者）

次の質問を自分に投げかけて、よりよい人生を築くことができるだろうか。

・なぜいつもこんな目に遭うのか？
・なぜ損ばかりしてしまうのか？
・なぜ人生はこんなに厳しいのか？

以上の質問はマイナス思考の連鎖を招くから、けっしてよい結果にはつながらない。

自分に投げかける質問は思考を方向づける。よりよい質問を自分に投げかければ、よりよい答えを見つけ、よりよい行動をし、よりよい人生を築くことができる。

そこで、**「なぜ~なのか？」という後ろ向きの質問ではなく、「どうすればできるか？」という前向きな質問を自分に投げかけよう。**状況を打開するために何ができるかを常に考えることが大切だ。

具体例を紹介しよう。

・どうすればこの目標を達成できるか？
・どうすればこの事態を防止できるか？
・どうすればこの問題を解決できるか？

あなたの脳は、自分が投げかける質問にいつも答えようとする。だからよりよい質問を自分に投げかければ、よりよい結果につなげることができる。

提案──なるべくポジティブな質問を自分に投げかけ、その答えを考えてみよう。

054

解決策に意識を向ける

偉大なリーダーは議論を短縮し、誰もが理解できる明快な解決策を示すのが得意だ。

コリン・パウエル（アメリカの政治家、軍人、元国務長官）

あなたは問題について思い悩むか、解決策に意識を向けて行動を起こすか、どちらのタイプだろうか。

成功者は解決策に意識を向けて行動を起こす。

不思議なことに、人びとは問題について思い悩むばかりで、紙を取り出して解決策を書き出そうとしない。もっと具合の悪いことに、多くの人は問題について心配しながら膨大な時間を空費している。

少し立ち止まって「それについて自分は何ができるか？」と考えてみよう。そうすれば、不要なストレスをため込まずにすむ。

要するに、**問題に意識を向けるのではなく、解決策に意識を向ける**ということだ。それを心がければ、人生のどんな分野でも改善することができる。

具体的には次のことを心がけよう。

・自分を被害者とみなすのではなく、主体的に問題を解決する方法を探す
・問題にいつまでも固執するのではなく、解決に向けて素早く行動を起こす
・周囲の人と不毛の議論を続けるのではなく、具体的な解決策を示す

世の中には常に問題が山積している。必要なのは問題に対する解決策だ。**あなたは他のすべての人と同様、自分が豊かな創造性を持っていることに気づかなければならない**。その創造性を駆使して画期的な解決策を思いつけば、明るい未来が開け、世の中はよりよい場所になる。

提案——紙を取り出して心配事とその解決策を書きとめよう。

055

問題を予測する

全体の５パーセントは実際に考えていて、10パーセントは考えていると思っている。残りの85パーセントは考えるくらいなら死んだほうがましだと思っている。

トーマス・エジソン（アメリカの発明家）

長期的な視点に立って考え、問題を予測する能力は、成功に不可欠な要素のひとつだ。問題を予測するためには、現実を正確に認識して未来を見通さなければならない。

私たちは問題が偶発的に起こると考え、その責任は自分にはないと思いがちだ。しかし、はたしてそれは真実だろうか。

未来について考え、これから起こりうることを想定することによって、多くの問題を未然に防ぐことができる。

問題をより的確に予測するためのヒントを紹介しよう。

1　自分の置かれている現状を直視する
2　周囲の人に潜在的リスクを指摘してもらう
3　起こりうる最悪のシナリオを想定する
4　そのシナリオのリスクを最小化する方法を考える

あなたは人生で起こる多くの問題に対して責任を負っている。したがって、潜在的リスクを見きわめ、それを最小化するために対策を講じる必要がある。**現状に対して責任を持つことによって、問題の予測がより的確にできるようになる。**

問題を解決するより防止することに力を注ぐべきだ。問題を防止すれば、それが深刻化して悩みの種にならずにすむ。

提案──直面している問題の原因を探り、「どうすれば防げたか？」と自問しよう。

056

計算してリスクをとる

人生で最大のリスクは、リスクをとらないことだ。現代のように目まぐるしく変化する時代では、失敗が保証されている唯一の戦略は、リスクをとらないことである。

マーク・ザッカーバーグ（アメリカの実業家、フェイスブックの共同創業者でＣＥＯ）

あなたは完璧なタイミングが到来するのを待っていないだろうか。もしそうなら、おそらく失望することになる。なぜなら、完璧なタイミングはたぶん永遠にやってこないからだ。**リスクをとらないことは、ときには大きな代償をともなう。**具体的に説明しよう。

・嫌いな仕事をいつまでも続けているので不幸な気分になる
・思い切って挑戦しようとしないので自分に幻滅する

・失敗したらどうしようという不安を抱えているので思い悩む
・何もせずに不本意な人生を送っているので後悔する

ただし、すぐに仕事を辞めたり無謀な挑戦をしたりして危険な賭けに出ることをすすめているのではない。リスクをとるときは、次の4つのことを考慮しよう。

1　勝算を入念に調査し、リスクをとるだけの価値があるかどうかを検討する
2　自分の年齢や立場を考慮し、思い切ってやるべきかどうかを見きわめる
3　リスクをとることと何もしないことを比較し、収入や幸福感を検証する
4　いきなり挑戦せずにしばらく試してみて、リスクを最小化する方法を考える

あなたは人生でどんなリスクをとるだろうか。**人生で大切なのは、リスクを避けることではなく、とるべきリスクをうまく選ぶことだ。**

提案

今、リスクをとるか、あとで後悔という代償を払うか、どちらかを選ぼう。

毎日、具体的な目標を設定し、
それを達成するために努力すれば、
必ず成功を収めることができる。

レス・ブラウン
(アメリカの著述家、講演家)

PART 7

物事をやり遂げる

本当の意味での生産性とは、
一日に何時間とか一週間に何時間働くという
意味ではなく、重要課題に取り組んで、
しっかり仕上げることを意味する。
重要課題を見きわめて、それを仕上げる能力を
身につけないかぎり、生産性を高めて
重要な目標を達成することはできない。
生産性とは何かを生み出すことだ。
したがって、何かに取り組んでいるときは
「これから何を生み出そうとしているのか？」
と自分に問いかける必要がある。
PART7では、
生産性を飛躍的に高める方法を紹介しよう。

057

日々の目標を設定する

日々の目標を持たずに生きるのは気楽でいいように見えるが、リーダーシップを発揮し、物事を成し遂げ、社会に貢献するのは、日々の目標を設定している人たちだ。

セス・ゴーディン（アメリカの実業家、講演家、著述家）

毎日、あなたは日々の目標を設定しているだろうか。

長期的な展望を持ち、それを実現するうえで、日々の目標を設定することはとても重要だ。それは生産性を飛躍的に高め、長い目で見て予想をはるかに超え、多くのことを成し遂げるのに役立つ。

もし毎日しているのに目標に近づかないなら、目標から遠ざかっている。**今日しているることによって理想の人生に近づくかどうか考えてみよう。**

日々の目標を設定するために複雑なシステムを導入する必要はない。長期的な展望を持ち、それを達成可能ないくつかの小さな課題に細分化すればいいのだ。すなわち、1年間の目標、3か月の目標、1か月の目標、1週間の目標、1日の目標という具合である。

取り組まなければならない日々の目標を見きわめるためには、「今日、何をする必要があるか?」と自分に問いかけよう。要するに、**どんなに複雑な目標でも、それを細分化して今日からすぐに取り組めるように工夫すればいい**のだ。

日々の目標を設定するためには、「今日、何をすれば、長期的な展望の実現に近づくか?」と自分に問いかけよう。そして、それに取り組み、やり遂げたら次の課題に取り組むようにすればいい。

提案　毎日、その日にすべき課題を設定し、それをやり遂げよう。

058

第一歩を踏み出す

何かができると思ったなら、すぐに第一歩を踏み出そう。大胆さには天才と力と魔法が秘められている。

ゲーテ（ドイツの劇作家）

ずっとしたいと思ってきたのに、まだ取りかかっていないことは何だろうか。それについて自分にどんな言い訳をしているだろうか。

あなたは目標を達成する詳細な行動計画を立てるために膨大な時間を割いて考えているかもしれない。しかし、課題に取り組んで初めて、具体的にすべきことが明らかになる。目標を達成する方法を事前にすべて把握する必要はない。**実際に取りかかって試行錯誤を繰り返しながら教訓を学べばいい**のだ。挫折するたびに、ビジョンを研ぎ澄まし、目標を達成したい理由を確認する機会を得ることができる。

当然、それらのことは、第一歩を踏み出すことによってのみ得られる恩恵である。他の人たちが好きなように生きているのを見ていても何も始まらない。それでは「自分の人生」という映画のエキストラと同じで、能力を存分に発揮することはできない。あなたは自分の人生の主役を演じるために第一歩を踏み出す必要がある。

ずっと先延ばしにしてきた目標を達成するために今日できる行動は何だろうか。**第一歩を踏み出せば、二歩目はすぐに見えてくる。**

たしかに知恵をひねって計画を練り、目標を達成するための青写真を用意することは重要である。しかし、最も大切なのは第一歩を踏み出すことだ。うまくいかなければ、あとで軌道修正すればいい。

現実を見すえ、挫折から学び、ビジョンを明確にし、スキルを高めよう。そうすれば、不可能だと思っていたことを実現していることに気づいて驚くに違いない。

提案
先延ばしにしてきた目標に向かって踏み出すべき第一歩を見きわめよう。

059

考え込まずに行動する

考える時間をとることは重要だが、行動すべきときが来たら、考えるのをやめて速やかに行動を起こさなければならない。

ナポレオン・ボナパルト（革命期のフランス皇帝）

考えることの重要性についてはすでに説明したとおりだが、この項ではあまり考え込んではいけないことを力説したい。

たしかに考える時間をとることは重要だが、ある程度考えたら、速やかに行動を起こすことに意識を向けよう。ほとんどの人は完璧な計画を準備するために考え込む傾向がある。そして、「今はまだ行動を起こすのに適した時期ではないから、もっと下調べをして自信をつけなければならない」などと言い訳をする。

しかし、そんな姿勢でいるかぎり、いつまでたっても何も成し遂げることができない。

最も効果的な学習方法は実践を積むことだ。一例として、人前で話すことについて説明しよう。人前で上手に話せるようになりたいと思っている人はとても多いが、恐怖心を克服して実際に何回も人前で話す練習をしなければ上達しない。

これはそれ以外の多くのことについてもあてはまる。私たちは反復練習によって上達するのだ。例外はない。

ある時期が来たら、考え込むのをやめて行動を起こそう。いつまでも分析したり計画を練ったりしてグズグズしてはいけない。どの分野であれ、成果を上げる人は行動的だ。彼らは「いつかするつもりだ」などと言わず、速やかに行動を起こす。

夢や目標を追求するのに完璧なタイミングはない。**早く取りかからなければ、永久に取りかかれないかもしれないから、考え込まずに行動を起こす必要がある。**最初は少しぎこちないかもしれないが、初心者のときは誰でもそうだ。教訓を学びながら上達をめざせばいい。くじけずに実践を積めば、やがてその分野の達人になることができる。

提案

怖くてずっと先延ばしにしてきたことを見きわめ、第一歩を踏み出そう。

060

課題をやり遂げる

何かをやり遂げることほど自尊心を高めて自信につながるものはない。

トーマス・カーライル（イギリスの作家、批評家）

あなたはひとつの課題をやり遂げずに別の課題に乗り換えるタイプだろうか。もしそうなら、いったん取りかかったことはやり遂げたほうがいい。取りかかったことをやり遂げないのはクセになる。それはたいてい不本意な結果につながり、自尊心をむしばむ。結局のところ、小さな課題をやり遂げることができないなら、大きな夢や目標をどうやって実現するのだろうか。

自分を律して課題をやり遂げれば、自分に対する自信が深まり、さらに大きな課題に取り組むことができる。

最後まで粘り強く課題に取り組む能力は、あなたを一流の職業人にする。課題を次々とやり遂げると、長期的に見てどれだけ生産性が高まるか想像してみよう。

誰もが多くの課題に取りかかるが、それらをすべてやり遂げる人はわずかしかいない。もし自分があまりにも多くの課題に取りかかっていることに気づいたら、そのすべてが重要課題かどうかチェックしよう。それをひとつずつ検証して、もし1か月か3か月か半年ほど延期したらどうなるか自問しよう。もしたいした影響がないなら、その課題を実際に延期してもいいかもしれない。

取り組んでいる課題の数を減らし、やり遂げるまで新しい課題に取り組まないようにするといい。そして、**いったん取りかかったことをやり遂げる習慣を身につければ、生産性が飛躍的に高まり、大きな自信がわいてくる。**

多くの課題を中途半端な状態で放置しておくより、いくつかの重要課題をきっちりと仕上げたほうがずっといい。あなたには無限のエネルギーがあるわけではないから、そのエネルギーを賢く使うべきだ。

提案　一日に3つの簡単な課題をやり遂げ、それをまず1週間継続しよう。

061

すぐにあきらめない

あきらめないかぎり、まだチャンスはある。最大の失敗はあきらめてしまうことだ。

ジャック・マー（中国の起業家、アリババの創業者）

あなたは物事をすぐにあきらめるタイプだろうか。

何かを始めても挫折したら落胆して投げ出してしまうなら、いつまでたっても成功しない。残念ながら、多くの人がこのタイプに該当し、大きな夢や目標を実現できずに生涯を終える。

しかし、心配する必要はない。**すぐにあきらめない習慣を身につければ、途中で投げ出す悪いクセは直り、人生が変わる。**

まず自分にとって大切な目標を決め、次にそのためのスキルを磨き、必要な知識を身につけ、粘り強く課題に取り組もう。他の人たちが結果を出しているのだから、自分も結果を出せると確信しよう。

すぐにあきらめない人の主な特徴は次のとおりである。

- 必ず目標を達成するという意気込みにあふれている
- どんな困難に直面しても、それを乗り越える精神力を持っている
- うまくいかなくても不平を言わず、創意工夫をして再挑戦する
- 常に謙虚な姿勢で学び、必要に応じて自分のやり方を修正する
- 長期的な展望を持ち、予想以上に時間がかかっても粘り強く取り組む

大きな成果を上げたいなら、途中で困難に遭遇しても投げ出してはいけない。目標を見すえてあきらめずにじっくり取り組むべきである。

提案——過去に途中で投げ出した目標を思い出し、何が足りなかったかを考えてみよう。

062

切迫感を持って行動する

大胆な夢を持ち、勇気を出して前向きに失敗し、切迫感を持って行動しよう。

フィル・ナイト（アメリカの実業家、ナイキの創業者）

「いつか新規事業を立ち上げる」「いつか副業を始める」「いつか本を書く」と言うばかりで、いつまでたっても取りかからない人がとても多いのが現状だ。

成功者は願望を抱くだけでなく、夢を実現することにこだわる。そしてそのために、自分がワクワクしている課題の達成につながる行動を重視する。時間が有限であることを理解しているから、実行に移すスピードを最大化することに努め、「できるだけ早くこの目標に取りかかるにはどうすればいいか？」と自問する。

一般に、成功者は学んだことをすぐに実行する。たとえば、信頼できる人から大切なことを教わったら、すぐにそれを試す。そうやって、切迫感を持って行動することによって勢いをつけ、他の人たちよりはるかに多くのことを成し遂げる。

私たちは永遠に生きることはできない。人生で残された時間はかぎられている。だから**すぐに行動を起こす習慣を身につける必要がある。**そうしなければ、いつまでたっても大きな夢や目標を達成することはできない。

大切なのは、短期的には切迫感を持って行動し、長期的には辛抱を重ねることだ。ところが、ほとんどの人はそれと正反対のことをしてしまう。今日すべきことを先延ばしにし、すぐにイライラして結果を得ようとするからだ。

すすんで締め切りを設定して切迫感をつくり出そう。短期的には課題を迅速に仕上げ、長期的にはそのプロセスを繰り返して大きな目標を達成しよう。そうすれば、確実に成功を収めることができる。

目標を実行に移すスピードを速め、自分により多くのことを要求し、よりよい仕事をより速く仕上げる練習をすると効果的だ。

提案——驚異的なスピードで課題を次々と処理し、その勢いで大きな目標を達成しよう。

063

一度にひとつのことに集中する

多くのことを成し遂げる最短の方法は、一度にひとつのことに集中することだ。

サミュエル・スマイルズ（イギリスの著述家）

あなたは一度にいくつかのことをしようとしていないだろうか。同時に多くのことができることを誇りに思っているのではないだろうか。

悪い知らせを紹介しよう。一度に多くのことに取り組んでも成果は上がりにくい。あなたの本当の力は、自分のかぎられたエネルギーをひとつのことに集中する能力から生まれる。つまり、**集中力が究極の力**なのだ。

成功者はひとつのことに集中して自分の時間を有効に活用するのがとてもうまい。一方、普通の人はひとつのことに集中するのが下手なので、能力を存分に発揮できず、心の平和を乱し、めざしている成功のレベルに到達することができない。

当然、大きな目標を達成するには大きなエネルギーを要する。しかし、エネルギーをいくつかのプロジェクトに分散すると、エネルギーのロスが発生する。このエネルギーのロスはやがて積み重なって、成果をかなり限定することになる。だからたいていの場合、**一度にひとつの目標やプロジェクトに集中するほうがいい**のだ。

たとえば、推定３か月ずつかかる３つの重要なプロジェクトをやり遂げようとしているとしよう。それらに同時進行で９か月かけて取り組むこともできるが、ひとつのプロジェクトに取り組み、それをやり遂げてから次のプロジェクトに取り組むこともできる。

後者のやり方のほうが生産性はずっと上がる。おそらくそのほうがより速く、よりスムーズに３つのプロジェクトを終えられるに違いない。

たしかにこれはプロジェクトの内容にもよるが、なるべくひとつのプロジェクトにエネルギーを集中し、それをやり遂げてから次のプロジェクトに取りかかるほうが効率的だ。

提案――今すぐに取り組むべき最重要課題を決めて、それに集中しよう。

064

気を散らすものを排除する

最強の戦士とは、集中力を研ぎ澄ました凡人にすぎない。

ブルース・リー（香港の俳優、武道家）

毎日、あなたはどれくらいの時間をＳＮＳに費やしているだろうか。

現代社会では、気を散らすものはいたるところに存在する。ある研究によると、オフィスで働く人は一日に平均74回もメールをチェックしているという。カリフォルニア大学の研究では、従業員はわずか11分ごとに仕事を中断していることがわかった。生産性が上がらずに悩んでいる労働者が多いのも不思議ではない。

集中力を高めて生産性を向上させるためには、気を散らすものを排除して中断をできるだけ減らす工夫をしなければならない。

気を散らすものは、主にふたつのカテゴリーに分類できる。すなわち、内的要因と外的要因である。

内的要因とは自分の思考によるものだ。あなたは目の前の課題に１００パーセント集中しているか、たえず思考が分散しているか、どちらだろうか。多くの人の思考はたいてい分散している。ハーバード大学の研究によると、人びとは自分がしていること以外のことを考えて、起きている時間の46・９パーセントを費やしているという。

こうした内的要因を減らすには自分の思考に気をつける必要がある。思考が分散し始めたら、目の前の課題に再び集中しよう。**集中力を研ぎ澄ますためには、休憩をとらずにひとつの課題に45分から60分連続で取り組まなければならない。**

一方、外的要因とは他の人たちによるものだ。オフィスで働く人びとを対象にした研究によると、集中力が乱れたら、それを取り戻すのに25分かかる。したがって、**高い集中力を維持するためには、中断を減らさなければならない。**たとえば、同僚に特定の時間帯は邪魔しないように伝えるとか、できれば携帯電話の電源を切るといった対策が必要だ。

提案――集中力が乱れていることに気づいたら、すぐに目の前の課題に集中しよう。

065

整理整頓をする

整理整頓を1分間するだけで、1時間の余裕が生まれる。

ベンジャミン・フランクリン（アメリカの政治家、発明家、科学者、著述家）

あなたはいつも落ち着かずに集中力を乱していないだろうか。

もしかすると、それは蓄積してきた膨大な量のガラクタのせいかもしれない。

残念ながら、あなたの精神的スペースにはかぎりがある。だから身の回りが片づいていないと、集中力が乱れやすい。たとえば、ぐちゃぐちゃになった机、不要なメールでいっぱいの受信トレイ、整理できていない文書やファイルは、集中力を乱す原因になる。

いらないものを片づけて心をスッキリさせ、集中力を高める方法を3つ紹介しよう。

1　**机の上を片づける。**仕事を始める前に、机の上を片づけて、集中力を乱すものをすべて排除しよう。そうすることによって気分がよくなり、モチベーションが高まって「これから頑張って働こう」という気持ちになる。

2　**不要なメールを削除する。**自分に関係のないニュースレターを解約しよう。近いうちに必要になるかもしれない興味深いモノやサービスを紹介する広告も含まれる。もし必要が生じれば、あとで再び購読すればいい。

3　**ファイルを整理する。**書類やファイルはすぐに手が届く場所に配置しよう。書類やファイルを探すと、たちまち集中力が乱れる。この傾向は難しい課題にとくにあてはまる。あなたの心は、複雑な作業を先延ばしにする口実を見つけるからだ。

身の回りを整理整頓すると、すがすがしい気分になり、素早く課題をやり遂げることができる。あなたの心は安易な道を選んで怠けようとする傾向がある。だから、その口実を与えてはいけない。

提案――仕事や生活を順調にするために家や職場の環境を整えよう。

066

効果的に休憩をとる

休憩をとってリラックスすることは、さまざまな病気を予防するだけでなく、頭脳の働きをよくし、集中力を高め、問題に対する創造的な解決策を見つけるのに役立つ。

ティック・ナット・ハン（ベトナムの僧侶）

労働時間を1分たりとも無駄にせず、昼休みやコーヒーブレークもとらずにくたくたになるまで働けば、生産性が飛躍的に向上すると思っていないだろうか。

まず、労働と休憩のバランスをとる必要があることを理解しよう。**成果を上げる人は効果的に休憩をとっている。**つまり、8時間や10時間ぶっとおしで働かないのだ。

多くの人は、休憩をあまりとらずに「ロスタイム」を減らし、より長時間働けば生産性が上がると思い込んでいる。しかし、それは脳の機能を無視した考え方だ。

たしかに時間は貴重な資源だが、仕事に注ぐエネルギーのレベルはもっと大切である。効果的に休憩をとらなければ、集中力は著しく低下する。だから時間とエネルギーをうまく管理しなければならない。

効果的な休憩のとり方を覚えよう。たとえば、45分ごとに5分から10分ほど休憩するといいかもしれない。「そんなことをしたら、一日の労働時間の中で1時間半も無駄になる」と反論する人もいるだろう。しかし、それはエネルギーのレベルを考慮せず、時間だけで労働生産性を考えているからだ。実際は定期的に短い休憩をとるほうが生産性の大幅な向上につながる。

それ以外にも、90分ごとに5分から10分の休憩をとるとか、52分ごとに18分の休憩をとるといったやり方がある。

職場によっては、そんなに頻繁に休憩をとれないかもしれない。もしそうなら、ほんの1分か2分ほどの短い休憩をはさむか深呼吸をして気分を入れ替えるといいだろう。

提案──定期的に休憩をとって生産性がどれくらい向上するか試してみよう。

067

完璧主義をやめる

完璧な出来ばえでなくても、とにかく仕上げることを優先しよう。

シェリル・サンドバーグ（フェイスブック最高執行責任者）

あなたは「完璧にできない」という理由で課題を先延ばしにしていないだろうか。もしそうなら、完璧主義に陥っている。その傾向を改善する方法を紹介しよう。

皮肉なことに、完璧主義が問題なのは、能力を存分に発揮するために必要な行動を起こせなくなることだ。たとえば、完璧な出来ばえでないと気がすまないのがそうだが、おそらくその願望は実現しない。

完璧主義に陥ると、もっと多くの時間や経験、知識が必要だと思えてきて、課題を先延ばしにしがちになる。あるいは、もっといい出来ばえにしなければならないという理由で、いつまでたっても課題を仕上げることができなくなる。

何かが完璧にできることを期待するのは現実的ではない。そんなふうにうまくいくことはめったにないからだ。

完璧主義は「失敗したらどうしよう」という不安のあらわれであり、行動を起こさないことを正当化するための口実である場合が多い。もしそうなら、**完璧主義をやめないかぎり、能力を存分に発揮することはできない。**

真実を指摘しよう。たいていの場合、失敗してもどうということはない。教訓にし、気を取り直して再び挑戦すればいいのだ。

平凡な出来ばえでも落胆する必要はない。もっとうまくできるはずだと思っていても、あなたの出来ばえは現時点での能力やスキルを常に正確に反映している。

たとえ今はうまくできなくても、思い悩むのではなく、「練習を積めば必ず上達する」と自分に言い聞かせて前向きに取り組めばいい。

提案
完璧にできなくても仕上げることをめざそう。

068

たゆまぬ努力をする

成功の秘訣は、目標に向かって地道な努力を重ねることである。

ベンジャミン・ディズレーリ（イギリスの政治家）

人生を変えるのは、あなたがたまにしていることではなく、毎日していることだ。

どんな凡人でも、たゆまぬ努力によって大きな成果を上げることができる。これからの半年間、1年間、5年間、10年間、毎日、何らかの習慣を実行したらどうなるか想像しよう。それが人生にどれだけの勢いをもたらし、どれだけ生産性を高めるだろうか。

次の8つの習慣を実行すれば、人生のどの分野でも向上することができる。

1　**朝、重要課題に取り組む。**朝起きて真っ先に重要課題に取り組めば、自分にとって重要なことをやり遂げるのに役立ち、生産性を飛躍的に高めることができる。

2　**目標を読み返す。** 毎日、目標を読み返すことによって、自分が正しい方向に進んでいることを確認できる。

3　**日々の目標を設定する。** 毎日、目標を設定することによって、数年後にはそれをしないよりもずっと素晴らしい結果を手に入れることができる。

4　**瞑想する。** 日々の瞑想によって集中力が高まり、幸福感が増し、ストレスが和らぐ。

5　**感謝の気持ちを持つ。** 見落としがちなことに感謝すれば、気分が高揚する。

6　**運動する。** 毎日、適度な運動をすれば、気分がよくなり、健康の維持増進につながり、生産性が高まる。

7　**やる気がわいてくる本や記事を読む。** 毎日、意欲が高まる文章を読めば、自信が深まり、未来への希望が生まれ、楽観的になることができる。

8　**内省する。** 毎晩、一日の出来事を振り返り、「今日うまくできたことは何か？」「どうすればもっとよかったか？」と自問すると、気づきにつながる。

提案
日々の習慣を選んで、それをまず30日間やり続けよう。

069

さらに上をめざす

常にもう少しだけ努力しよう。この習慣は、成功者がその他大勢から抜け出すために実行していることである。

ボブ・プロクター（アメリカの講演家）

あなたは最低限の仕事しかしていないか、すべての仕事に全力を尽くしているか、どちらだろうか。

能力を存分に発揮するためには、より一層の努力をしなければならない。より高品質な仕事をする習慣は、その他大勢から抜け出すのに役立つ。

自分がどんなに優れていると思っていても、改善の余地は常にある。成功者の特徴のひとつは、向上心にあふれていることだ。彼らは他の人たちより抜きん出る方法をたえず探し求め、「よりよい働き手になるにはどうすればいいか？」「よりよい製品やサービスを提供するにはどうすればいいか？」と自分に問いかけている。

要するに、**現状に満足するのではなく、能力を存分に発揮して重要人物になるために、さらに上をめざす**ということだ。

より一層の努力をすると、単に仕事をマニュアルどおり機械的に処理するのではなく、より高品質な仕事をして上司や経営者、顧客を喜ばせることができる。この習慣を常に実行すれば、やがてその分野の第一人者になれる。

より一層の努力をするとき、顧客に奉仕するよりよい方法をたえず考えている。**より大きな価値を提供したいという熱意は、相手の信頼を得るのに役立つ。**

重要課題を任せる必要が生じたら、あなたは誰に頼むだろうか。その課題をしっかりやり遂げるために、より一層の努力をする人ではないだろうか。

あなたはそういう人になるべきである。

提案

公私にわたってより大きな価値を提供する方法をたえず考えて実行しよう。

070

80対20の法則を応用する

忙しくしているだけでは不十分だ。大切なのは、何をして忙しいかである。

ヘンリー・デイヴィッド・ソロー（アメリカの思想家）

あなたは取り組むべき課題の多さに圧倒されていないだろうか。

もしそうなら、「80対20の法則」を応用するといい。有名な法則なので、すでに知っているかもしれないが、実際にそれをふだんの生活に応用しているだろうか。

この法則によると、結果の80％は活動の20％によってもたらされる。したがって、**活動の20％に該当する重要課題を見きわめる**ことがカギになる。

生産性を飛躍的に高めるためには、優先順位をつけて重要課題により多くの時間を割くようにすればいい。多くの人は優先順位の低い課題に時間を空費しがちである。その目的は、重要課題を先延ばしにしたり努力するのを避けたりすることかもしれない。あるいは、自分が優先順位の低い課題に取り組んでいることに気づいていないのかもしれない。「今日していることをやり続けたなら、重要課題を素早くやり遂げることができるか？」と自分に問いかけよう。

80対20の法則は、公私を問わず、どんな目標を達成するのにも役立つ強力なツールだ。

次の質問を自分に投げかけてみよう。

・利益の80％をもたらす20％の顧客は誰か？
・充実感の80％をもたらす20％の友人は誰か？
・幸福感の80％をもたらす20％の活動は何か？

時間は最も貴重な資源のひとつだ。80対20の法則は、成功と幸福をもたらす課題に効率的に取り組むのに役立つ。人生のどの分野でも、この原理を応用すれば成果が上がる。

提案

結果の80％をもたらす20％の活動により多くの時間を割こう。

大きな変化を遂げる時代では、
たえず学び続ける者が
未来の覇者となる。

エリック・ホッファー
（アメリカの哲学者）

PART 8
常に心を開く

成功者はたえず学び続ける。
彼らは学校を卒業したら
教育が終わったとは考えず、
死ぬ日まで続く新しい学習の始まりだと考える。
すでにたくさん知っていても
謙虚な姿勢で学び続けることは、
成功者に共通する特徴である。
常に心を開くことが大切な理由は、
より多く、より速く学ぶのに役立つからだ。
その結果、目まぐるしく変化を遂げる世の中に
適応することができる。
PART8では、生涯学習に徹して
より高いレベルの成功を収める方法を紹介しよう。

071

柔軟性を発揮する

原理原則にしたがいつつも、ときには柔軟性を発揮することが大切だ。

エレノア・ルーズベルト（アメリカの社会活動家）

人生はたえず変化する。これまでワクワクしていた目標でも、もはや興味がわかないかもしれない。

粘り強さはとても大切だが、場合によっては目標を変更するだけの柔軟性を発揮しなければならないこともある。究極的に、**目標を持つことの意義は、現状を改善して未来を切り開くことだ。**幸せを感じられない目標に固執しても意味がない。

どんな目標を追求するときでも、次のふたつのことが重要になる。

1　そのプロセスがたいてい楽しいこと
2　本当に望んでいるものが手に入ること

努力しても行き詰まったままとか、その目標がワクワクしない場合、目標を変更すべき時期かもしれない。ただし、それには正当な理由がなければならない。

自分のビジョンに合致しないという理由なら目標を変更してもいいが、「自信がない」とか「努力するのがいやだ」といった理由なら考え直すべきだ。

仕事であれプライベートであれ、簡単に目標を断念しがちなら、成功を収めることは難しい。しかし、正当な理由がある場合は柔軟に目標を変更する必要がある。

提案――幸せを感じなくなったら、目標を変更することを検討しよう。

072

ポジティブな心の姿勢を維持する

明るい性格は大金よりも価値がある。それは訓練すれば身につけることができる。

アンドリュー・カーネギー（スコットランド生まれのアメリカの実業家、慈善家）

あなたは自分の心の姿勢を環境に左右されるか、何が起ころうとそれを完全にコントロールするか、どちらでも選ぶことができる。

あなたは自分の心の姿勢に責任を持たなければならない。そのためには、他人の悪影響を受けて自分の心の姿勢が揺るがないように気をつける必要がある。

しかし残念ながら、ほとんどの人は他人の悪影響を受けやすく、ネガティブな心の姿勢に陥りがちだ。

もちろん、あなたはそうであってはいけない。

ポジティブな心の姿勢を維持し、ふだんの人間関係で周囲の人に好ましい影響を与えるように努める必要がある。

ポジティブな心の姿勢を維持するための具体的な方法を説明しよう。

- **相手に微笑みかける。**誠実な気持ちで自分から微笑みかけよう。
- **他人の悪口を言わない。**その場にいない人の陰口は慎もう。
- **相手を批判しない。**相手を批判するのではなく理解しよう。
- **相手の話に耳を傾ける。**話すことを少し控えて相手の意見を聞こう。
- **相手を励ます。**困っている人に優しい言葉をかけよう。
- **建設的な意見を述べる。**相手の立場や心情に配慮して意見を述べよう。

要は、**自分がしてほしいことを相手にもする**ということだ。この習慣は自分にも相手にも計り知れない恩恵をもたらす。

提案

周囲の人の人生を明るく照らす希望の灯りになろう。

073

好奇心を燃やす

私には特別な才能はない。好奇心を燃やして仕事に情熱を注いでいるだけである。

アルベルト・アインシュタイン（ドイツ生まれのアメリカの物理学者）

あなたは何に好奇心を持っているだろうか。何についてもっと学びたいだろうか。

好奇心は、あなたの中に秘められた最大の原動力のひとつだ。だから好奇心を感じる対象をより深く掘り下げる必要がある。

たとえば、どんな分野に惹きつけられるか？　どんなテーマにワクワクするか？　余暇に何をするのが好きか？　それが何であれ、より深く追求しよう。

好奇心を持つことは、物事の仕組みを理解したり、行き詰まったときに課題をやり遂げたりするのに役立つ。**好奇心が旺盛な人は情熱的だから、そう簡単にあきらめない。**

好奇心が旺盛な人は、自分がすべてを知り尽くしているとは思わない。それどころか、自分の無知を自覚し、もっと学ぼうとする。向上心に燃えているから、すき間時間に読書をし、勉強をし、ワクワク感を維持する。単に最終目標に意識を向けるのではなく、そのプロセスを楽しむから、どんなにつらくなっても前進を続けることができる。

好奇心の力を過小評価してはいけない。時間をとって、自分が興味を感じることを見きわめよう。そして、それについてさらに好奇心を持つ方法を探そう。たとえば、どうすればもっと学ぶことができるか？　何を見落としているか？　自分と同じ分野で最大の成果を上げている人は何をしているか？

以上の質問をたえず自分に投げかけよう。**特定の分野についてもっと知りたいと強く思っているなら、いずれその分野の第一人者になることができる。**常に好奇心を燃やして自分の疑問に対する答えを探し求めれば、きっとそれは見つかる。

提案

好奇心を感じる分野を深く知るために本やインターネット、講座を活用しよう。

074

傲慢とは、自分を過大評価して偽りの満足に浸ることである。

スピノザ（オランダの哲学者）

自分のやり方に固執しない

あなたはユーチューブで「The Profit」というリアリティ番組を見たことがあるだろうか。その番組には有名な起業家が登場し、業績不振にあえぐベンチャー企業を助けるために大金を出資する。

驚いたことに、多くの経営者は自分のやり方に固執する。しかし、そういう傲慢な態度をとるから業績が伸びないのだ。問題点を具体的に説明しよう。

・従来のビジネスモデルを見直して、うまくいかないやり方を改めたがらない

- 業績不振の責任をとろうとせず、従業員や顧客、納入業者、景気のせいにする
- 従業員が創造性を発揮して挑戦することができる環境をつくろうとしない

傲慢な態度は成功の敵であり、成長を阻む最大の障壁になる。自分が間違っていることを認めようとしないとき、業績を改善するために必要な変化を起こす機会を失っている。たしかに傲慢な態度を貫いても、ある程度の成功を収めることはできるかもしれない。しかし、周囲の人はそのために迷惑する。一方、傲慢な態度を改めれば、周囲の人の創造性を高め、自由な発想で事業をさらに発展させることができる。

傲慢な態度を改めて謙虚になることは、より速い学習とよりよい決定につながる。「自分は絶対に正しい」という傲慢な態度は、組織の業績を改善するために必要な情報の収集を妨げる。だから、今日からすすんで周囲の人の意見に耳を傾け、自分が間違っていたら素直に認めて改善に努めるべきである。

提案

謙虚な姿勢で常に改善を心がけよう。

075

自分の失敗を最大限に生かす

失敗はとても教育的だ。よく考える人は成功だけでなく失敗からも多くを学ぶ。

ジョン・デューイ（アメリカの教育学者、哲学者、心理学者）

自分の失敗から学ぶ能力は、ほとんどの人より速く成長し、よりよい結果をもたらすのに役立つ。

しかし残念ながら、私たちは自分の失敗からめったに学ぼうとしない。たいていの場合、その理由は、現実を直視するのが怖いからだ。私たちは自分が思っているほど利口ではないことを受け入れたくない。その結果、自分の失敗を分析して軌道修正をするのではなく、自分の失敗を覆い隠して知らんふりをする。皮肉にも、そうやって現実を直視しようとしないから、自分の才能やスキルを伸ばせないのだ。

現実から目をそむけて生きているかぎり、いつまでたっても成長せず、うだつの上がらない人生を送ることになる。

自分の失敗を認めないかぎり、向上することはできない。**成長するためには現実を直視しなければならないのだ。**そのためには失敗をきっかけに自分をもっとよく知り、周囲の人の意見や助言をもとに軌道修正をする必要がある。

あなたはどんな失敗を繰り返しているだろうか。どんな厳しい現実から目をそむけているだろうか。**厳しい現実を直視しないかぎり、自分の才能を最大限に発揮して成功と幸福を手に入れることはできない。**

失敗することは問題ではない。それはたいてい避けられないものだ。実際、失敗しないなら、新しいことに挑戦していないと言える。本当の意味での唯一の失敗は、失敗から学ぼうとしないことだ。自分のすべての失敗から学ぶようにすれば、想像をはるかに超える大きな飛躍を遂げることができる。

提案——自分が目をそむけている失敗を分析し、その教訓を今後に生かそう。

076

常に謙虚な姿勢で周囲の人から学ぶ

謙虚な姿勢は成功の扉を開き、傲慢な姿勢は成功の扉を閉じる。

ジグ・ジグラー（アメリカの著述家、講演家）

常に謙虚な姿勢で周囲の人から学ぶことは非常に重要だ。私たちは自分が他人よりもよく知っていると思い込み、相手の意見を聞き入れないことがある。もしかすると、自分の無知がばれるとかっこ悪い、という思いもあるのかもしれない。

しかし、すべてのことを知っている必要はない。それはとうてい不可能だから、常に周囲の人の意見に耳を傾けよう。もちろん、その人たちの意見を無条件に受け入れる必要はないが、心を開いて他人の主張に耳を傾ける必要はある。あなたの目標やビジネスについて何も知らない人が素晴らしいアイデアを思いつくこともあるからだ。

私たちは先入観を持ちがちで、そのために判断力が鈍りやすい。**謙虚な姿勢で周囲の人から学ぶように心がければ、何がうまくいっているか、どうすればもっとうまくいくか、何を見落としているかがわかる。**だから、いち早く盲点に気づいて、よりよい決定をくだすことができる。

とはいえ、自分が知らないことを認めて、謙虚な姿勢で他人の意見に耳を傾けるのは難しいかもしれない。実際、多くの人がプライドのために自分の無知を認めるのをいやがる。しかし、そんなことではいつまでたっても崇高な目標を達成することはできない。

だから、できるだけ謙虚になって、積極的に周囲の人に意見を求める必要がある。それをしないかぎり、人間的に成長することができないだけでなく、一緒に働いている人たちにとって厄介な存在になる。自分がいつも正しいと思い込んでいる人と仕事をしたいと思う人はいない。成功するためには常に謙虚な姿勢で周囲の人から学ぶ必要がある。

提案　自分の生き方を振り返って謙虚さが足りていないと思う部分を書き出そう。

077

たえず学習に励む

学校教育は生計を立てるのに役立ち、生涯教育は資産を築くのに役立つ。

ジム・ローン（アメリカの講演家、著述家）

学ぶ能力はあなたの最大の才能のひとつである。いったん学校教育を終えて仕事につけば学ぶのは終わったと思っている人が多いが、**学校を卒業してからも学び続ければ、他の人たちよりも優位に立つことができる。**

成功のプロセスと同様、学習は毎日継続しなければならない。学ぶのをやめても自分の業界でやっていけると思ってはいけない。スキルはたえず磨く必要がある。どの成功者も学習意欲が旺盛だ。彼らは関連分野の本をかたっぱしから読み、熱心にセミナーを受講する。より多くの情報を得れば、よりよい決定につながることを理解している証しだ。

提案――毎日、少なくとも15分をスキルアップに投資しよう。

毎日、関連分野の本を読む習慣を身につけよう。一日にたった15分の読書でも一年に10冊から20冊の本を読むことができる。さらに、通勤途上でオーディオブックを聴くことも効果的だ。

あなたは長い人生の中で失業したり大金を失ったりするかもしれないが、身につけたスキルと知識は誰も奪い取ることができない。**新しいスキルを身につけることは、自分に対する需要を常に高めるための最善の策だ。**企業から求められる人材になるか、ベンチャー企業を立ち上げて成功するために努力しよう。現代社会ではインターネットのおかげで無限の情報源にたやすくアクセスすることができるから、スキルを身につけるための学習を怠る言い訳はできない。

以前よりもはるかに速いペースで変化している世の中に柔軟に対応し、新しいスキルをできるだけ早く身につけなければならない。それができれば、「仕事が見つかるだろうか」とか「生活費を稼げるだろうか」と心配する必要はなくなる。

私を成功で判断するのではなく、
倒れて起き上がった回数で判断してほしい。

ネルソン・マンデラ
(南アフリカの政治家、弁護士、第8代大統領)

PART 9
立ち直る力を身につける

挫折から立ち直り、常に楽観的であり続ける
能力は、将来の成功のカギを握る。
多くの人は状況が悪化すると、
すぐに悲観的になってあきらめてしまう。
しかし、私たちの中には、どんなときでも
前進を続ける力が宿っている。
だから想像をはるかに超える粘り強さを
発揮して立ち直ることができる。
自分の感情をよりうまくコントロールすることを
覚えれば、それまでならあきらめていたような
状況でも前進を続けることができる。
訓練すれば、それはできるようになる。
挫折から立ち直ることはスキルなのだ。
PART9では、
そのスキルを身につける方法を説明しよう。

078

物事を前向きにとらえる

挑戦してうまくいかなくても楽観的になろう。失敗は名誉の勲章だと思えばいい。

サンダー・ピチャイ（インド生まれのアメリカの実業家、グーグルCEO）

人生の質を決定づけるのは、自分の身に何が起こるかではなく、それをどう解釈するかである。

あなたの脳はどんな状況にも何らかの意味を持たせようとする。しかし幸いなことに、**あなたはどんな状況でもポジティブに解釈する力を持っている。**たとえば、困難に遭遇したとき、自分を被害者とみなして世の中を恨むこともできるが、困難が貴重な教訓を教えてくれると信じて成長することもできる。それはどんなものの見方をするかによる。

成功者は自分の身に起きた出来事をポジティブに解釈するのが得意だ。彼らは失敗したと思って落ち込むのではなく、その経験を生かす方法を探し求める。あなたも彼らを見習うといい。その際、次の質問を自分に投げかけると効果的だ。

・この出来事の素晴らしい点は何か？
・どんな貴重な教訓を学ぶことができるか？
・最高の自分になるために、この状況をどう活用すればいいか？
・自分のどんな資質を伸ばすことが求められているか？
・ピンチをチャンスに変えるにはどうすればいいか？

人生で大きな試練に見舞われたら、「これですべてが終わった」と悲観するのではなく、「これは自分を鍛えるための貴重な経験だ」と解釈しよう。そうすれば、どんなに大きな夢や目標でも実現する勇気がわいてくる。物事を前向きにとらえる習慣は、練習すれば簡単に身につけることができる。

提案――困難に遭遇したら、どんな教訓を学び、どんな恩恵が得られるかを考えよう。

079

自分の力でどうにかなることに意識を向ける

自分にできることを今いるところから実行しよう。

セオドア・ルーズベルト（アメリカ第26代大統領）

あなたは自分の力ではどうにもならないことを心配して膨大な時間を浪費していないだろうか。

あなたの時間とエネルギーはかぎられている。**心配して過ごす時間はすべて、問題を解決するために建設的な行動をする時間に使うべきだ。**

人生では予想できないことがたくさんある。たとえば、愛する人が病気になる、景気が悪化する、自然災害に見舞われる、などなど。こんなふうに、自分の力ではどうしようもないことがよくあるから、それに意識を向けても何の役にも立たない。

人生で直面する問題は次の3つのカテゴリーに分類されることを知っておこう。

1　自分の力で確実にどうにかなること
2　自分の力である程度どうにかなること
3　自分の力ではどうにもならないこと

論理的に考えると、自分の力ではどうにもならないことに時間とエネルギーを浪費しても無意味だが、あなたはそれをしているかもしれない。過度に心配するのを避けるために、この3つのカテゴリーを常に念頭に置き、**自分の力ではどうにもならないことではなく、自分の力でどうにかなることに意識を向けて対策を講じる習慣を身につけよう。**

自分の力ではどうにもならないことを心の中でたびたび再現すると、無用の精神的苦痛を何度も味わうことになる。だから自分の力でどうにかなることにだけ意識を向け、建設的な行動をとったほうがいい。

提案——心配事を紙に書いて、自分でどうにかなるかどうかを見きわめよう。

080

試練を歓迎する

試練ほど素晴らしいものはない。すべての敗北、心痛、失望は、問題点をどう改善すればいいかを教えてくれるのだから。

オグ・マンディーノ（アメリカの著述家、講演家）

あなたは目標を達成しようとするときに試練に見舞われて敗北感に打ちひしがれ、ふがいない結果に心を痛め、すっかり失望するかもしれない。

現実を直視しよう。**逆境は避けて通れない**。しかし、それにどう対処するかは、あなた次第だ。成功のプロセスはたいてい混沌としている。その事実を認めようとせず、試練に見舞われるたびに不平を言うこともできるが、試練を歓迎することもできる。

試練を歓迎するというのは、成功のプロセスを楽しむということだ。いったん大きな成果を上げたら、多くの人はたいていなつかしそうにつらかった時期を振り返る。そのプロセスをもっと楽しんだらよかったと思うことすらあるだろう。

もちろん、試練を乗り越えたあとでそう感じるのはわかるが、試練のさなかにいるときは成功するかどうか不安で仕方なかったに違いない。とはいえ、教訓を学ぶことはできたはずだ。

まず、**試練のさなかに努力を重ねることによって成長し、よりよい人間になることができる。**粘り強く前進を続けていることが、すでに成功の兆しだ。次に、試練を歓迎して乗り越える能力が、すぐにあきらめる人たちとの違いである。第三に、目標の真価は、それを達成することではなく、それを達成するためにどんな人物になるかだ。

試練は例外的な出来事ではなく、成功のプロセスの一部である。だから**試練を乗り越え、夢や目標に向かって前進する自分の勇気をたたえよう。**

目標を達成しようとすると、遅かれ早かれ、誰もが試練に見舞われる。大切なのは、そのときにどういう態度をとるかだ。

提案

過去の試練を振り返って当時の自分にどんな言葉をかけたいかを考えよう。

081

定期的に運動する

健康と幸福を手に入れることに関するかぎり、定期的に運動することは魔法の妙薬だと言っても過言ではない。

ティック・ナット・ハン（ベトナムの僧侶）

あなたは定期的に運動しているだろうか。

運動には気分を高揚させる作用があり、逆境から立ち直るのに役立つ。

複数の研究によると、運動は抗うつ剤と同じくらい大きな効果があるという。

たとえば、ハーバード大学のマイケル・ミラー医師は、「多くの人にとって、運動することは抗うつ剤を服用するのと同等の効果がある。ただし、重度のうつ病の人にとっては、運動だけでは不十分かもしれない」と言っている。

運動はうつ病に大きな効果があるだけでなく、それ以外にも多くのメリットがある。定期的に早歩きをすると、健康にとてもいいことがわかっている。メイヨー・クリニックによると、早歩きは健康的な体重を維持し、心臓病や高血圧などの重度の症状を改善し、ふさいだ気分を盛り上げるのに役立つという。

とはいえ、激しい運動をする必要はない。30分の早歩きを週に3、4回するだけで大きな健康効果が得られる。

さらに、ハーバード大学のジョン・レイティ医師は、こう主張している。

「**運動は認知機能と精神衛生に好ましい影響をおよぼすから、ほとんどの精神医学的な問題に対する最善の処置のひとつである**」

ということは、運動しない言い訳は成り立たないということだ。

提案

定期的に適度な運動をする計画を立てて実践しよう。

082

ときにはマイナス思考をする

楽観主義者と悲観主義者はどちらも社会に貢献する。楽観主義者は飛行機を発明するが、悲観主義者はパラシュートを発明する。

バーナード・ショー（イギリスの劇作家）

あなたは筋金入りの楽観主義者だろうか。

もしそうなら、ときにはほんの少しだけ方針を変えたほうがいいかもしれない。

この本を通じて、楽観主義を身につけることの重要性を力説してきた。**たしかにプラス思考は重要だが、マイナス思考が役立つこともときにはある。**

過度の楽観主義が問題なのは、潜在的なリスクを見落としやすいからだ。たとえば、経営者が楽観的すぎると、巨額の借入金を断行したり、無謀な目標を追求したりしやすいことが、複数の研究でわかっている。

だからもし自分が楽観的すぎるように思えたら、何かがうまくいかなくなる可能性を検証する必要がある。逆に、悲観的になりやすいなら、最悪の事態に備えつつも楽観主義を身につける必要がある。

実際、最悪の事態に備えることは、多くのトラブルを未然に防ぐのに役立つ。うまくいかない状況を想定すれば、将来の問題を予測して回避するのがうまくなるからだ。

そこで、**何らかの目標を追求するときは、「計画がうまくいかないなら、起こりうる最悪の事態は何で、リスクを最小化するにはどうすればいいか？」と自問しよう。**

要は、計画の段階で最悪の事態を想定しつつ、いったん課題に取りかかったら成功を確信しながら前進を続けるということだ。

問題を予測して回避するほうが、問題が生じてから対応するよりはるかに少ない被害ですませることができる。だから、ときには少しだけマイナス思考をすれば、自分を救えることを覚えておこう。

提案
うまくいかない事態を想定して対応策を考えてみよう。

083

自分に優しく語りかける

自分に語りかけるときは気をつけよう。自分がそれを聞いているのだから。

リサ・ヘイズ（アメリカの作家）

あなたは自分の最大の批判者になっていないだろうか。小さなミスを犯すたびに自分を罵倒していないだろうか。

ふだん自分に語りかけているように家族や友人に話しかけたら、相手はどんな反応を示すだろうか。愛されていると感じるだろうか。

多くの人は自分を罵倒してもかまわないと考えているが、それは自分に対する尊敬や信頼の欠如のなせるわざだ。自分を罵倒しなければ物事をやり遂げることができないと思い込んでいるのかもしれない。もし自分に優しく語りかけたら、怠け者になってしまうというのだろうか。

現実を直視しよう。**自分を罵倒することは逆効果である。**そんなことをしても生産性の向上に役立たない。それどころか、自信を失ってしまうだけだ。

もし最大の支援者のように自分に優しく語りかけたらどうなるだろうか。きっとやる気がわいてくるはずだ。これからの1週間、自分を罵倒したくなったら、自分に優しく語りかけよう。「なんてバカだ」と言うのではなく、「誰でも間違いを犯すから仕方ない。同じ間違いを繰り返さないために今度から気をつけよう」と言おう。

あなたは不完全な人間だから、ときには間違いを犯し、目標を達成できないこともある。しかしだからといって、自分を罵倒して不幸な気持ちに浸る必要はない。**間違いを犯してもあきらめなくていいし、ましてや自分を見くびってはいけない。**

モチベーションを高めるために、自分に優しく語りかけよう。間違いを犯した自分を許し、温かい気持ちで自分を励ませばいい。人生は厳しいのだから、自分を罵倒して人生をさらに厳しくする必要はない。

提案

これから1週間、自分を批判しそうになったら自分を温かく励まそう。

084

感謝の気持ちを持つ

いい生き方かどうかを分ける主な違いは、身の回りのことを当然のように受けとめるか、感謝の気持ちで受けとめるかである。

G・K・チェスタトン（イギリスの小説家、批評家）

あなたは身の回りのことに感謝するための時間をとっているだろうか。

感謝の気持ちはこの世で最強の力を持つもののひとつだ。感謝の気持ちと成功のあいだには相関関係がないように見えるかもしれないが、感謝の気持ちは成功を後押しする。身の回りのことに感謝をしてポジティブな精神状態を維持することは、長期的な成功に不可欠だ。**感謝をして気分がよくなれば、より創造的で生産的で幸せになることができる。**また、ネガティブなことを考えなくなり、目標に向かって前進を続けることもできる。

あなたは健康、友人、伴侶、仕事を含めて多くの点で恵まれていることを知っているかもしれない。しかし、それを頭ではわかっていても、心の中で実感しているとはかぎらない。そこで、「感謝の練習」というエクササイズをおすすめしたい。具体的に説明しよう。

・**感謝していることを日記に書く。**毎日、感謝している3つのことを書こう。

・**恩人に感謝する。**目を閉じて思い浮かんだ人について考え、その人がしてくれたことに思いをはせよう。たとえば、就職の世話をしてくれた、つらいときに励ましてくれた、大切なことを教えてくれた、といったことだ。それを3分間やってみよう。

・**気分が盛り上がる歌を聴きながら感謝をささげる。**陽気で楽天的な歌を選んで、それを聴きながら周囲の人や物事に対する感謝の気持ちに浸ろう。

毎日、このエクササイズを実践すれば、気分が高揚し、人生を好転させるための行動をとることができるようになる。

提案——自分が感謝していることをたえず思い浮かべよう。

085

粘り強さを身につける

粘り強さに勝るものはない。才能があっても成功しない人は多い。学歴があっても、うまくいかない人で世の中はあふれている。粘り強さと決意の組み合わせだけが万能だ。

カルビン・クーリッジ（アメリカ第30代大統領）

努力しなくても簡単に大金を稼げるというのは、努力しなくても簡単に20キロ痩せられるというのと同じくらいウソである。

あなたはその気になれば、ほとんどどんな目標でも達成する能力を持っている。ただし、それは困難をともなう。

人生は短距離走ではなくマラソンである。だから長期的な視点に立って粘り強く目標を追求しなければならない。常に大局観を持ち、「手っ取り早く金儲けができる」と呼びか

提案
成功のプロセスは平坦な道のりではないことを理解しよう。

ける罠にはまらないように気をつける必要がある。

理解しておかなければならないのは、**成功を収めるプロセスは平坦な道のりではない**ということだ。実際、何か月も努力して結果を出せないことは少なくないし、ある時点で結果が出たとたん、飛躍的な進歩を遂げたりもする。

だから粘り強く取り組むことが重要なのだ。**うまくいかないことがあっても、ひたすら耐えよう。**簡単に成功を収めたように見える人でも、失敗を繰り返して人知れずスキルを磨き、「いつか必ず成功する」と信じて粘り強く取り組んできたのだ。

粘り強さを身につけるためには、成功のプロセスがどのようなものかを理解しなければならない。そうすれば、うまくいかないときでも前進を続けることができる。大切なのは、長期的視点に立って努力を重ねることだ。不屈の精神があれば、どんな試練でも乗り越えることができる。

086

毎日を新しい人生の始まりとみなす

未来について最も素晴らしいのは、それが一回に一日ずつやってくることだ。

エイブラハム・リンカーン（アメリカ第16代大統領）

あなたは今日を大切にしているだろうか。これから始まる一日を当たり前のように思っていないだろうか。

あなたにとって、今日は最も大切な日である。なぜなら、**人生は「今日」の連続にほかならない**からだ。昨日はすでに去り、明日はまだ来ていない。あるのは今日だけだ。

残念ながら、多くの人は新しい一日を当然のように思い、漫然と過ごしている。その結果、今日を軽視している。過去について悩んだり未来について心配したりするばかりで、今日を大切に使って目標を達成するための行動を起こそうとしない。

今日を大切にするために、ワクワクして一日のスタートを切ろう。人生をさらに好転させる行動を起こす機会として今日を活用することが大切だ。

新しい一日を漫然と過ごしているかぎり、非生産的な人生を送ることになる。新しい一日に畏敬の念を抱いて計画的に使うためのヒントを紹介しよう。

1　**目を覚ましたらすぐに微笑む。**このシンプルな行為が気分を高揚させる。

2　**すぐさまベッドから飛び起きる。**これは行動力と決断力を身につけるのに役立つ。

3　**新しい一日を与えられた幸運を喜ぶ。**これは今日を大切にするための心得だ。

4　**一日を真っ白なキャンバスとみなす。**過去を解き放ち、新鮮な気分に浸ろう。

5　**感謝の気持ちを表現する。**自分が感謝している3つのことを思い浮かべよう。

6　**今日の日付と目標を書く。**今日の大切さを実感し、生産性を高めるのに役立つ。

毎日、以上のことを実行すれば、一日を最大限に活用できるようになる。

提案

ここで紹介した6つのヒントを試してどんな気分になるか確認しよう。

他の人たちの成功を手伝うと、
あなたは最速で最大の成功を
収めることができる。
これはまぎれもない真実である。

ナポレオン・ヒル
（アメリカの成功哲学の大家）

PART 10

人びとに勇気と希望を与える

自分だけの力で成功する人はいない。
誰もが他の人たちに助けてもらって成功する。
だからもし成功したいなら、
他人に勇気と希望を与えることによって、
助けてもらえる人になることが不可欠だ。
PART10では、
自分が望んでいるものを手に入れるために
他人を助けることが大切な理由を
くわしく説明しよう。

087

周囲の人をほめて励ます

人びとが「批判は大歓迎だ」と言うとき、心の中では「批判なんかせずに、もっとほめてほしい」と思っている。

サマセット・モーム（イギリスの作家）

すべての人がほめ言葉を熱望している。だから誠実な気持ちで周囲の人をほめて励まそう。ときにはほんの少しのほめ言葉が相手の一日を明るくする。**適切なタイミングでほめ言葉をかけると、相手の人生が変わることもあるくらいだ。**

ほめて励ますことは、相手と自分の双方に恩恵をもたらす。ほめ言葉をかけると相手は気分をよくするし、自分も優しい気持ちで相手を励ましたことで気分がよくなるからだ。

人びとはほめてもらうと大切にされていると感じる。実際、**誰もが自分をほめてほしい**

と思っている。ほめられると自尊心が高まって幸福感が得られるからだ。単に「よくできたね」と言うだけでも、相手はもっと頑張って次の課題に取り組もうとする。

たまにほめ言葉をかけるより、小さなほめ言葉を頻繁にかけるほうが効果的だ。それはほんの数秒しかかからないが、長時間にわたって相手の心理に好ましい影響を与える。

人をほめて励ます方法を探すと、相手を大切にする理由が見つかり、人間関係が好転する。口先だけのお世辞ではなく、心のこもったほめ言葉をたえずかけると、相手の存在価値を確認することができる。

人をほめて励ますと相手の長所を探す習慣が身につく。本来、人間はネガティブなことに意識を向ける傾向があるが、相手の長所を見つける練習をしているうちに、自分の長所を見つけることもうまくできるようになる。

人をほめて励ますことは元手がかからない行為だが、お互いにとって非常に有意義だ。今日から心を込めて惜しみなく周囲の人をほめて励まそう。**相手をこの世で最も大切な存在として扱おう。**誰にとっても自分がこの世で最も大切な存在なのだから。

提案

身近な5人に誠実な気持ちで頻繁にほめ言葉をかけよう。

088

相手の能力を信じる

私の目はあなたの才能を見抜けないような節穴ではありません。あなたにはこれから素晴らしい未来が開けることを確信しています。

思想家エマーソンがどん底にあえぐ若き詩人ホイットマンに送った手紙より

あなたは家族や友人、同僚が能力を存分に発揮して成果を上げている姿を想像することができるだろうか。あるいは、単にその人の現在の姿を見ているだけだろうか。

ほとんどの人は心の中で限界を設定しているため、自分が素晴らしい能力を持っていることに気づいていない。彼らは目に見えない小さな箱の中に自分を閉じ込め、たいてい生涯にわたってその中で過ごす。

周囲の人はあなたが想像しているよりもはるかに大きな能力を秘めている。だからその人の限界に意識を向けるのではなく、その人がこれから大きく飛躍する姿を思い描こう。

人生は神秘に満ちている。人びとは何らかのきっかけで急に目覚め、それまで眠っていた能力を覚醒させる。彼らに必要なのは周囲の人の支援である。自分でも知らない能力を見いだして信じてくれる人を必要としているのだ。

だから、その人になろう。

人びとはうだつの上がらない人生を送っていることの言い訳をしがちだ。しかし、その言い訳を聞いて真に受けてはいけない。その人の独自の才能と強みを探し、それを生かせば人生が好転する可能性があることを指摘しよう。

あなたが信じ続ければ、きっと相手は才能を開花させることができる。もちろん、それがすぐに現実になるとはかぎらないが、相手を信じることが大切だ。自分が持っている能力に気づかせ、あとは本人の努力に任せよう。

周囲の人がより幸せになり、より成功することを期待しよう。彼らが心の中で設定していた限界を乗り越えて飛躍するのを見て、あなたは気分がよくなるに違いない。

提案

家族や友人、同僚が能力を存分に発揮して成果を上げている姿を思い描こう。

089

相手の立場に立って考える

あなたにはふたつの手がある。ひとつは自分を助ける手、もうひとつは他人を助ける手。

オードリー・ヘップバーン（ベルギー生まれのアメリカの女優）

あなたは相手が望んでいるものに意識を向けることがどれくらいあるだろうか。

私たちは往々にして自己中心的になりやすい。たとえ相手の願望を知っているつもりでも、自分の価値観を投影していることがよくある。

相手の立場に立って考える能力を身につけることは、あなたにとって最も貴重なスキルのひとつになる。誰かに会うたびに「この人は何を望んでいるか？　そして、それはなぜそんなに重要なのか？」と自問しよう。

相手の願望を理解すると、多くの恩恵を得ることができる。まず、相手の行動を理解することができる。次に、相手の願望の実現を手伝うことができる。第三に、**相手は手伝ってもらったお礼をしたくなり、あなたは望んでいるものをたいてい手に入れることができる。たとえば、配偶者は愛情を、友人は友情を、顧客はお金を与えたくなる。**

あなたは配偶者や友人、顧客が何を望んでいるかを知っているだろうか。それを本人に尋ねたことがあるだろうか。ほとんどの人は相手が何を望んでいるかを正確に把握していないのが実情だ。

いったん相手が何を望んでいるかがわかれば、その理由を探ってみよう。それはたいてい感情的な恩恵であり、その人の価値観と密接に結びついている。

たとえば、その人はもっとお金を稼ぎたいと思っているかもしれない。おそらくその理由は自由や安心を得たいからだろう。あるいは、高い地位を得て世間の人に認められたいのかもしれない。

相手の価値観が理解できれば、より深いレベルでつながり、共通点を見つけて信頼に基づく長期にわたる良好な人間関係を築くことができる。

提案――周囲の人に人生の目標を尋ね、どんな価値観を持っているかを見きわめよう。

090

励ましてくれる人たちと付き合う

あなたをけなして、やる気をそぐネガティブな人たちとは距離を置き、あなたをほめて、最高のものを引き出してくれるポジティブな人たちと付き合おう。

ロイ・ベネット（アメリカの作家）

もし現在の友人や知人と今後もずっと一緒に過ごしたら、なりたい自分になれるだろうか。端的に言うと、周囲の人はあなたが最高の自分になるように後押ししてくれるか、足を引っ張るか、どちらだろうか。

周囲の人はあなたの将来の成功に決定的な役割を果たす。なぜなら、人間は周囲の人の影響を受けやすいからだ。良くも悪くも、私たちは周囲の人の考え方や行動パターンをスポンジのように吸収する。「やればできる」とたえず励ましてくれるポジティブな人たちに囲まれているのならいいが、「どうせダメだ」と口ぐせのように言うネガティブな人たちに囲まれているなら考えものだ。

要するに、周囲の人はあなたの成長を促進するか抑圧する力を持っているということだ。だからもし大きな夢を実現したいなら、ネガティブな人たちとは距離を置いて、ポジティブな人たちと付き合う必要がある。

ポジティブな環境をつくるために時間と努力を投資しよう。なぜなら、長い目で見ると、自分の意志力だけでは成功はおぼつかないからだ。

自分の成長を促進してくれる人たちと一緒に過ごそう。この習慣はあなたの考え方と行動パターンによい影響をおよぼし、より早く成長するのに役立つ。意志力よりも環境のほうがときには大切なのだ。

やる気さえあれば、あなたが向上できない理由はどこにもない。**今後の成長の度合いは、自分がどんな環境に身を置くかで決まる。**だから目標に向かって前進するのを手伝ってくれる人たちと一緒に過ごすべきだ。

提案

ネガティブな人を避けて、応援してくれるポジティブな人と付き合おう。

091 他人を批判しない

どんな人でも、けなされたときよりも、ほめられたときのほうが努力するし、やる気を出して仕事をするものだ。私はその例外を一度も見たことがない。

チャールズ・シュワップ（アメリカの実業家、USスティールの経営者）

あなたは他人を批判することがよくあるだろうか。

正直になろう。誰もがときおりそういうことをしがちだ。しかし、この習慣にはよくない結果が待ち受けている。他人を批判して優越感に浸っても、それはすぐに消え、不快な思いをすることになるからだ。その理由を説明しよう。

まず、**他人を批判すると、たいてい自分を批判する結果になる。**他人のあら探しをすると、自分の欠点が見つかる。つまり、他人を裁くと自分を裁くことになるのだ。

次に、**他人を批判すると、相手は必ずと言っていいほどやる気をなくしてしまう。**たとえ批判されると、どんな人でも嫌気がさして投げ出すか、中途半端な努力しかしなくなるものだ。一方、必要に応じて建設的な意見を述べながら心を込めてほめると、人びとはやる気を出して最大限の努力を傾けるようになる。

他人を批判したくなったら、鏡に映った自分の姿を見て、完璧な人はこの世にいないことを思い出そう。それと同時に、自分に優しくしよう。そうすれば、他人にも優しくすることができる。

結局のところ、人はみな、心の中でたえずもがきながら道を模索しているのではないだろうか。ならば、お互いに励まし合って人生をより快適にしたほうがいい。

他人を批判するのを慎もう。**前向きなセリフが見つからないなら、黙っていればいい。**人びとが必要としているのは批判ではなく支援なのだ。

提案

他人に批判的になっていることに気づいたら、思いやりの言葉をかけよう。

092

他人を変える前に自分を変える

誰もが世の中を変えようとするが、誰も自分を変えようとしない。

レフ・トルストイ（ロシアの小説家、思想家）

あなたは社会を変革したいという野心を持っているだろうか。

もしそうなら、現実を直視しよう。あなたは他の何よりもまず自分を変える努力をしなければならない。

ところが、ほとんどの人は世の中を変えたいと思うばかりで、自分についてはあまり理解していない。たいていの場合、自分の強みと弱みをよく知らず、自分の考え方に誤りがあることに気づいていないのが実情だ。

自分を理解していないのに世の中を変えようとしてもうまくいかないし、それどころか

提案——自分のどんな部分を変えれば、社会にどのように役立つかを考えてみよう。

問題をさらにつくり出してしまうおそれすらある。

まず、自分をよく知ろう。それが人生を変えるための第一歩だ。

次に、自分を成長させることに意識を向ける必要がある。なぜなら、いい意味での衝撃をどれだけ世の中に与えられるかは、自分の心をどれだけコントロールし、どれだけの人物になるかに大きく左右されるからだ。

考えてみよう。自分を律することができないような人に世の中を変えることができるだろうか。

世の中に衝撃を与えたいと思うなら、自分をよく知って成長するために最大限の努力を傾けなければならない。そうすれば、社会に好ましい影響を与える行動をとることができるし、世の中をほんの少しだけ変えることができる。

093

お互いに得をする状況をつくる

外交の場での交渉は、双方の利益になる状況をつくることを前提に成り立っている。

ディーン・アチソン（アメリカの政治家、弁護士）

外交にかぎらず、いかなる交渉でも、相手の立場に立って考える能力はきわめて重要である。自分だけが得をして、相手には利益をほとんど与えないという姿勢で臨むこともできるが、それで相手との関係が長続きするだろうか。

どんな関係でも、それが長続きするためには、双方が恩恵を得ているると確信する必要がある。したがって、自分の利益だけをはかろうとするのではなく、双方の利益になるような状況をつくらなければならない。

次のふたつの質問を自分に投げかけよう。

・双方の利益になる状況をつくるにはどうすればいいか?
・相手の要望を満たすと同時に自分の要望を満たすにはどうすればいいか?

以上のことを実現するためには、相手の求めていることをよく理解しなければならない。**相手の言葉に耳を傾けるだけでなく、相手の価値観を知ることが大切だ。**相手の価値観を見きわめて初めて本当の意味での交渉が成立する。

常に心を開いて、双方の要望が実現する可能性を探る必要がある。自分の負担が大きくない程度で相手に何かを提供する方法がないか、自分が利益を得るために相手に対して譲歩する余地がないかといったことも検討しよう。

双方の利益になる状況を模索することは習慣である。だから練習を積めば、それがうまくできるようになる。

提案――自分の要求を満たすと同時に相手の要求を満たす方法を考えてみよう。

094

顧客を満足させる

顧客にぴったりと寄り添い、彼らの必要としているものを彼ら自身が気づく前に素早く見抜いて提供しよう。

スティーブ・ジョブズ（アメリカの実業家、アップルの共同創業者）

あなたはどれだけ顧客のことを気づかっているだろうか。

事業の存在意義は顧客に奉仕することである。わかりきったことだが、いつも肝に銘じなければならない。事業はあなたのためではなく顧客のために存在するのだ。

したがって、あなたは顧客をより深く理解し、顧客の欲しているものを提供するように努めなければならない。**事業の良し悪しを見きわめる方法は、顧客があなたの提供するモノやサービスに喜んで対価を支払うかどうかである。**

提案

顧客が本当に求めているものを提供するにはどうすればいいかを考えよう。

当然のことながら、顧客がいなければ、事業は成り立たない。とはいえ、それはあなたが大好きなことに取り組んではいけないという意味ではなく、顧客に奉仕するような方法でそれをすべきだということだ。

約束した以上のものを常に提供するように心がける必要がある。たとえば、アマゾンは約束した期日よりも早く荷物を届けることで知られている。

もしあなたが従業員なら、上司も一種の顧客とみなすべきだ。上司から求められているものを理解し、それ以上のものを提供すれば、あなたは会社の貴重な人材とみなされ、やがて昇進を果たすことができる。

たとえば、「上司の目標は何か?」「もし上司が自分の立場ならどうするか?」「上司の仕事をやりやすくするにはどうすればいいか?」と自分に問いかけよう。その答えがわからないなら、上司に直接聞けばいい。顧客や上司のニーズを理解すればするほど、そのニーズを満たすことができ、よりよい結果を得ることができる。

095

相手の話に耳を傾ける

自分が話しているかぎり、すでに知っていることを繰り返しているにすぎない。しかし、相手の話に耳を傾ければ、新しいものの見方を学ぶことができる。

ラリー・キング（アメリカのテレビ司会者、俳優、コラムニスト）

最近、相手の話にじっくり耳を傾けたのはいつだろうか。

ほとんどの人は相手の話に耳を傾けていると思っているが、本当にそうだろうか。相手の話に耳を傾けることは、集中力が求められる行為である。それは簡単ではない。ほとんどの人は相手を理解しようと努めず、単に返事をするために話を聞いている。

相手の話に耳を傾ける能力は、ほとんどの人が思っているよりもはるかに重要である。だから人びとはお金を払ってでもカウンセラーに話を聞いてもらいたがるのだ。優れたカウンセラーは相手の話に耳を傾けるのがとてもうまい。

話すのを少し控えて、相手の話にもっと耳を傾けるべき理由を説明しよう。

まず、**相手の話に耳を傾けると、相手は心を開いて本音を話す**。それは相手に対する敬意の証しであり、相手の考え方と感じ方を理解したいという思いが伝わる。

次に、**話すより聞くことによってたくさん学ぶことができる**。耳がふたつで、口がひとつしかないのは、話すより聞くことに2倍の時間を割くべきだからだという伝統的な教えがある。自分が話しているかぎり、新しいものの見方を学ぶことはできない。

自分が会話の主導権を握るのではなく、相手にもっと話をさせよう。**人びとは自分を理解してほしいと思っている**。必ずしもアドバイスを求めているわけではない。アドバイスをするのは、それを求められたときだけにしよう。**相手を批判せずに好奇心を持って聞けばいい**。その際、相手の言葉だけでなく、仕草にも気をつける必要がある。

相手の話に耳を傾けると、コミュニケーションのスキルが高まり、よりよい人間関係を築くことができる。それを実践すると人とのかかわり方がどう変わるかを見きわめよう。

提案

これからの1週間、自分の話を減らして相手の話に耳を傾けよう。

096

人びとの暮らしに役立つ

私たちは人に何かをしてもらうより、人に何かを与えることができなければならない。

マヤ・アンジェロウ（アメリカの活動家、詩人、歌手、女優）

あなたは人びとの暮らしに役立つ方法をどれだけ考えているだろうか。

一部の人は働かずにお金を儲ける方法をたえず探している。手軽に大金を得ようとしている証しだ。彼らはお金の仕組みを理解していない。働かずにお金を儲けようとするのは、人びとに価値を提供せずにお金を払ってもらおうとすることであり、けっして好ましいことではない。

そんなふうにお金を儲けるためには、守れない約束をして相手をだますか、他人から盗むか、それ以外の悪質な方法を実行するしかない。そうやってお金を儲けることは短期的には可能かもしれないが、あなたはそういう生き方をしたいだろうか。そんなことをするより人びとの暮らしに役立ってお金を稼ぐほうがずっと気分がいいはずだ。

成功するために自問すべき最も重要なことのひとつは、「どうすれば人びとの暮らしに役立つことができるか？」である。これは魔法の質問だ。この質問をたえず自分に投げかければ、多くの人の役に立つと同時に多くのお金を稼ぐことができる。

これは一獲千金の方法ではない。**人びとの暮らしに役立つことは、自分の幸福感を増大させる究極の戦略だ。**なぜなら、人びとの暮らしに役立つと気分がよくなり、しかも成功の可能性が飛躍的に高まるからである。

この質問を自分に投げかけて得られるもうひとつの恩恵は、新しいスキルを身につけて成長できることだ。結局のところ、**自分が成長せずにより多くの価値を人びとに提供することはできない。**

「人びとの暮らしに役立つにはどうすればいいか？」とたえず自分に問いかけよう。その答えを実行すれば、人生で望んでいるものをほとんど手に入れることができる。

提案——価値を提供して人びとに喜んでもらう方法を常に考えよう。

097

アドバイスを控えて質問する

質問の答えを教えてもらうより、自分で探すほうが多くのことを学べる。

ロイド・アレクサンダー（アメリカの小説家）

あなたは相手に対して上手に質問する方法を知っているだろうか。

人びとがコーチやコンサルタントを雇う主な理由は、適切な質問をしてほしいからだ。私たちは質問されることによって知恵を絞り、素晴らしい解決策を思いつくことができる。適切な質問はそれくらい有意義なのだ。

つまり、**質問することによって相手に考えさせ、創造性を刺激し、モチベーションを高め、アイデアをまとめるのを手伝って解決策を思いつかせることができる**のである。

私たちは相手に質問して考えをまとめるのを手伝うのではなく、いきなりアドバイスをしがちだ。しかし、すぐに答えを教えてしまうと、相手は自分で考えなくなり、問題を解決するのにあまり役立たないのである。

相手に質問することが効果的なもうひとつの理由は、行動を起こすきっかけを与えることができるからだ。**人びとは自分でアイデアを思いつくと行動を起こしたくなる。**結局のところ、他人にこうしろ、ああしろと指図されるのが好きな人はいない。

自分が正解を知っていると思っても、それをすぐさま相手に教えるべきではない。たいていの場合、相手に質問して答えを思いつかせるほうがはるかに効果的だ。

もちろん、相手に答えを教えたほうがいい場合もある。たとえば、うまくいかないことを経験的に知っているなら、相手にそれをさせて時間を浪費させるべきではない。

大切なのは相手に考えさせることだ。相手が考える時間を必要としているなら、あなたの投げかけた質問が効果的であることの証しだと言える。

相手の話をさえぎらずに自分で答えを出す時間を与えよう。**相手はじっくり話を聞いてもらうと、自分の存在価値が認められたと感じ、あなたに好意を抱くはずである。**

> **提案**
> **アドバイスをしたくなったら、少し間を置いて効果的な質問をしよう。**

098

自分の願望を人びとに知らせる

成功する人としない人では、能力がそんなに大きく違っているわけではない。両者の違いは、能力を存分に発揮したいという願望を持っているかどうかだ。

ジョン・マクスウェル（アメリカの牧師、著述家、講演家）

世間の人びとはあなたの願望を知っているだろうか。

もしそうでないなら、誰もあなたを手伝うことができない。

この地球上には70億人以上が暮らしていて、多くの人があなたの夢や目標を実現するために必要なお金、時間、スキル、人脈を持っている。それを上手に利用しよう。

ほとんどの人は、自分にはお金、時間、スキル、人脈がないから夢や目標を実現することができないと思い込んでいる。しかし、あなたに欠けているのは、困難な状況の中で解決策を見つける能力だ。成功するために必要なお金、時間、スキル、人脈がないと思い込んでいるなら、それは間違っている。

夢や目標の実現に必要なお金、時間、スキル、人脈を集めるための第一歩は、自分の願望を広く世間に知らせることだ。そうしなければ、誰もあなたに支援の手を差し伸べることができない。

誰かに支援の手を差し伸べたいと思っている人はたくさんいる。世界中の人びとがフォロワーやサポーター（世界中のサッカーファンがそうだ）になりたがっていることを思い出そう。ただし、支援してもらうためには、次の4つの条件を満たさなければならない。

1 自分の熱い思いを伝える
2 自分の純粋な情熱を伝える
3 自分の強い決意を示す
4 自分の優れた実行力を示す

提案 ── 夢や目標を実現するために自分の願望を世間に伝える方法を考えよう。

099

人びとにお手本を示す

誰にとっても最も重要なのは、自分とかかわったことで相手がどんな影響を受けるかということだ。

ジム・キャリー（アメリカの俳優）

どれだけ多くの人があなたとかかわったことによって向上してきただろうか。もしそういう人が一人もいないとすれば、それはなぜだろうか。

自分と出会ったことで人生がよくなったと感じる人がいるように努めることは、すべての人の責務である。

あなたがいくら命令しても相手は変わろうとしない。**相手が変わるのは、あなたの振る舞いを見て感動し、自分も同じように振る舞いたいと思ったときである。**なぜなら、行動は言葉よりも雄弁だからだ。

人びとにお手本を示すために努力すると、周囲の人が成長し始めることに気づくだろう。それはあなた自身が正しい道を歩んでいる証しである。

人びとにお手本を示すとはどういうことか考えてみよう。あなたは周囲の人がどのように向上してほしいだろうか。**周囲の人があなたの振る舞いを見て感動し、ついていきたいと思うためには、あなたはどんな変化を起こす必要があるだろうか。**

自分の外部のことをコントロールすることはできないが、自分の振る舞いをコントロールすることならいつでもできる。だから人びとに見習いたいと思ってもらえる振る舞いを常に心がけることが大切だ。

世の中に多大な影響を与えることはできないかもしれないが、**周囲の人によい影響を与えていると確信して気分よく過ごすことはできる。**

人びとにお手本を示そう。そうすれば、きっと周囲の人はあなたについていきたいと思うはずである。

提案

自分とかかわったことで向上した人はどれくらいいるか考えてみよう。

100

長期にわたる良好な人間関係を築く

より多くのものを手に入れるためには、より多くのものを与えなければならない。気前よく与えることによって、豊かな収穫を得ることができる。

オリソン・マーデン（アメリカの成功哲学者）

多くの人は人間関係について、たいてい短期的な視点しか持ち合わせていない。相手にどのように手伝ってほしいかだけを考えているからだ。たとえば、新しいプロジェクトの直前になって「助けてほしい」と連絡するのがそうである。つまり、多くの人は長期的な人間関係の構築よりも短期的な利益を優先する傾向があるのだ。

しかし、これからずっと長く付き合うという前提で他人とかかわったほうがはるかに得策である。そういう姿勢でいるなら、相手を助けてあげたいと思えるはずだ。**相手から何**

かを得ようとするのではなく、誠実な気持ちで相手とかかわり、できるかぎり相手の力になって人間関係を発展させたほうがいい。

新しい友人をつくろうとするとき、いきなり助けてほしいと頼んだり何かを売りつけたりはしないはずだ。相手についてよく知り、共通点を探して、お互いが得をする関係を築くにはどうすればいいかを考えるだろう。

単に人脈をつくるという考え方ではなく、共通の価値観を持つ人たちと長期にわたる真の人間関係を構築しよう。そのためには温かい気持ちで相手に支援の手を差し伸べ、信頼を深める努力をすることが大切だ。

提案 相手を助けるために具体的に何ができるかを考えよう。

おわりに

最後までお読みいただき、誠にありがとうございます。

目標を達成して成功を収めるとはどういうことかについて、理解を深めていただけたと思います。

自分の人生に責任を持ち、目標をできるだけ明確にし、自分を信じてその目標に向かって前進を続けてください。

とはいえ、おそらく途中で挫折を経験することでしょう。そんなときはつい悲観的な気分になり、あきらめたくなるかもしれません。しかし、失敗は成功のプロセスの一部であることを思い出して教訓を学び、情熱を燃やして頑張ってください。

驚いたことに、多くの人は単に成功したいと思うだけで、時間をとってその方法を研究しようとしません。しかし、あなたはそうではなく、一度きりの人生を最大限に生きるために、この本を手にとって最後まで読みました。

仕事であれプライベートであれ、成功は偶然の結果ではなく、特定のルールにしたがった結果です。

この本に書かれている成功法則をすべて実行すれば、これからの数か月、数年、数十年にわたって素晴らしいチャンスに恵まれ、あこがれていた理想の人生を手に入れることができます。

あなたは崇高な目標を達成して成功を収めるだけの素晴らしい能力を秘めています。その能力を存分に発揮し、自分が恩恵を得るだけでなく、よりよい社会人、配偶者、親、友人になって周囲の人を助けることが大切だと私は考えています。

自分が変われば、周囲の人と環境も変わります。変化を恐れずに行動を起こし、なりたい自分になるように努めてください。

末筆ながら、読者の皆様の成功と幸福を心よりお祈り申し上げます。

ティボ・ムリス

理想の自分をつくる100の法則

発行日　2020年7月15日　第2刷

Author　ティボ・ムリス
Translator　弓場 隆
Book Designer　山之口正和（OKIKATA）

Publication　株式会社ディスカヴァー・トゥエンティワン
〒102-0093　東京都千代田区平河町2-16-1 平河町森タワー11F
TEL　03-3237-8321（代表）　03-3237-8345（営業）
FAX　03-3237-8323
http://www.d21.co.jp

Publisher　谷口奈緒美
Editor　藤田浩芳　志摩麻衣

Publishing Company
蛯原昇　梅本翔太　千葉正幸　原典宏　古矢薫　佐藤昌幸　青木翔平
大竹朝子　小木曽礼丈　小田孝文　小山怜那　川島理　川本寛子
越野志絵良　佐竹祐哉　佐藤淳基　竹内大貴　滝口景太郎　直林実咲
野村美空　橋本莉奈　廣内悠理　三角真穂　宮田有利子　渡辺基志
井澤徳子　藤井かおり　藤井多穂子　町田加奈子

Digital Commerce Company
谷口奈緒美　飯田智樹　大山聡子　安永智洋　岡本典子　早水真吾　三輪真也
磯部隆　伊東佑真　王廳　倉田華　小石亜季　榊原僚　佐々木玲奈
佐藤サラ圭　庄司知世　杉田彰子　高橋雛乃　辰巳佳衣　谷中卓　中島俊平
西川なつか　野﨑竜海　野中保奈美　林拓馬　林秀樹　牧野類　三谷祐一
元木優子　安永姫菜　中澤泰宏

Business Solution Company
蛯原昇　志摩晃司　野村美紀　南健一

Business Platform Group
大星多聞　小関勝則　堀部直人　小田木もも　斎藤悠人　山中麻吏　福田章平
伊藤香　葛目美枝子　鈴木洋子

Company Design Group
松原史与志　岡村浩明　井筒浩　井上竜之介　奥田千晶　田中亜紀
福永友紀　山田諭志　池田望　石光まゆ子　石橋佐知子　齋藤朋子　俵敬子
丸山香織　宮崎陽子

Proofreader　文字工房燦光
DTP　株式会社RUHIA
Printing　三省堂印刷株式会社

ISBN978-4-7993-2594-0